Vol. 40, n° 1
2004

études
ançaises

Sommaire

Réécrire au féminin :
pratiques, modalités, enjeux

numéro préparé par Lise Gauvin et Andrea Oberhuber

Note de la rédaction

L'an dernier, nous signalions à nos lecteurs et collaborateurs éventuels que nous n'accepterions plus, pendant quelques mois, d'articles destinés aux « Exercices de lecture » (articles hors dossiers). Nous avions de nombreux textes en attente de publication, si bien que les délais de parution pour les articles nouvellement soumis auraient été trop longs. Plusieurs contributions ayant maintenant paru, nous sommes de nouveau prêts à recevoir des textes pour les « Exercices de lecture ». Nous vous invitons donc à soumettre tout travail original portant sur les littératures de langue française, en vous rappelant que les articles doivent nous parvenir accompagnés d'une disquette, d'un résumé en français et en anglais et d'une notice bibliographique.

Réécrire au féminin: pratiques, modalités, enjeux

Présentation

LISE GAUVIN ET
ANDREA OBERHUBER

Pratique littéraire adoptée depuis le Moyen Âge et choyée particulièrement par les érudites et les lettrées de la Renaissance, la réécriture,
procédé similaire à celui de la contrafacture[1] en musique, loin cependant
de celui des copistes en peinture, est une manière de faire la révérence
aux prédécesseurs dans le but de s'inscrire dans une tradition littéraire.
La référence à un texte modèle peut être plus ou moins explicitement
énoncée dans l'œuvre ou plus ou moins laissée en suspens, abandon-
née au décodage de la lectrice/du lecteur. De toutes les manières, la
réécriture passe par l'emprunt en créant ainsi l'*inter-texte* avant de prendre forme dans l'hypertexte. Or, si s'interroger sur la question de la
réécriture signifie s'intéresser à la fois à celle de l'écriture, de la lecture
et de l'écriture de la lecture, la réécriture se donne d'abord à voir
comme un *effet de lecture*; lecture qui s'avère chez certaines auteures une
relecture au deuxième ou troisième degré des grands textes fondateurs.
Ainsi la double démarche de relecture-réécriture met-elle en place une
riche circulation entre les textes tout en installant une frontière fluide
entre le modèle générateur et le nouveau texte; elle suppose la connaissance intime d'un important corpus littéraire et incite à la réflexion sur la
réception et la perception d'une œuvre.

Nous proposons, pour ce numéro thématique consacré à la réécriture
au féminin, la définition suivante: phénomène littéraire tant historique

---

1. Ce terme «désigne un arrangement fait à partir d'une composition vocale existante
en lui adaptant de nouvelles paroles» (Antoine Goléa et Marc Vignal [dir.], *Larousse de la
musique*, Paris, Librairie Larousse, 1982, p. 381). Il est une traduction des mots latins
contrafactum ou *contrafacta*, que l'on rencontre plus souvent en français.

que contemporain, qui englobe une grande richesse de pratiques, de fonctions et de motivations différentes, la réécriture est la reprise, en tout ou en partie, d'un texte antérieur, donné comme «original», en vue de sa transformation mineure ou majeure. Par conséquent, la réécriture entend être, au sens genettien, l'interprétation d'un texte modèle qui implique non seulement la prise de distance, mais aussi la revendication d'une certaine liberté par rapport à l'œuvre servant de point de départ au palimpseste : il faut s'en éloigner pour réécrire le modèle autrement, pour le «traduire» en un nouveau texte. S'installe alors dans le processus qui sépare l'étape de la lecture de celle de l'interprétation un espace flou ; c'est précisément dans cet espace insaisissable que peut se déployer l'activité ludique de la réécriture.

Réécrire au féminin signifie repenser la matière littéraire canonique. En ce sens, il importe de distinguer le recours à une œuvre d'auteur masculin de la reprise d'une œuvre de femme ; les motivations pour reprendre tel ou tel autre hypotexte seront évidemment différentes, les modalités de réécriture en porteront des traces. Autrement dit, le choix d'un texte modèle «féminin» plutôt que «masculin» ou «universel» influe sur la stratégie et l'objectif de sa réécriture. Chez bon nombre de romancières du xxᵉ siècle, le recours aux mythes fondateurs[2] se trouve au cœur de la réécriture. On peut analyser la reprise des mythes fondateurs comme un désir de déconstruire une vision de l'histoire dans le but d'en adopter une autre, de proposer à travers l'objet détourné un changement de perspective, voire d'esquisser une utopie au féminin[3]. Ainsi l'héritage culturel, largement dominé par des voix «masculines», est-il à la fois accepté et remis en question par ces auteures qui réécrivent en contrepoint ; autrement dit, «la voie choisie est celle de la rupture dans la continuité au lieu de l'alternative rupture ou continuité[4]».

2. La première à s'être intéressée d'un point de vue philosophique et féministe à l'importance fondamentale des mythes en tant qu'outils pour exalter et justifier le pouvoir patriarcal fut évidemment Simone de Beauvoir. Le premier tome du *Deuxième sexe* (Paris, Gallimard, 1949) est entièrement consacré aux mythes fondateurs en tant que «mythes sexuels» et images de la «féminité» propres au discours patriarcal. Il faut, selon Beauvoir, démystifier le mythe, si l'on veut échapper à la logique de l'Un au détriment de l'Autre. C'est ainsi que, dans la seconde moitié du xxᵉ siècle, l'intérêt pour le mythe traduit le plus souvent une prise de distance critique par rapport au discours «mythique» des sociétés occidentales. Voir l'étude que Françoise Rétif a consacrée à *Simone de Beauvoir. L'autre en miroir*, Paris, L'Harmattan, 1998.

3. Le lien entre mythe et utopie dans l'écriture des femmes véhicule souvent la quête d'un monde autre. La réutilisation du matériau mythique leur sert à créer un espace utopique nouveau. Voir à ce propos Joëlle Cauville et Metka Zupancic (dir.), *Réécriture des mythes. L'utopie au féminin*, Amsterdam, Rodopi, 1997.

4. Françoise Rétif, *op. cit.*, p. 193.

Plusieurs exemples témoignent de cette rupture dans la continuité qui consiste à puiser dans un imaginaire collectif pour donner naissance à une œuvre singulière et à restituer autrement la matière première — mythique ou littéraire.

Ce qui nous intéressait dans le phénomène «du réécrire au féminin», c'était de répertorier certains cas de figure élaborés par la fiction littéraire de la seconde moitié du xxᵉ siècle, afin de baliser le terrain, de planter les jalons d'une plus ample réflexion sur les femmes auteurs et la réécriture. Plutôt que de prétendre à une «théorie» ou un modèle d'analyse clos, il s'agissait d'examiner les différentes stratégies et modalités de la réécriture telle qu'entreprise par des auteures contemporaines, françaises et francophones, cela en vue de décrire leurs fonctions, leurs enjeux et leurs visées. Plusieurs questions s'imposaient alors : comment cette *praxis* textuelle qu'est la réécriture parvient-elle à créer un espace discursif à l'intérieur duquel les auteures se font entendre et lire? de quelle nature sont les motivations des auteures dans le choix des textes modèles et des formes? quel est ce regard que portent les romancières sur une œuvre, l'histoire, les histoires et qui anime leur discours? de quelle manière la réécriture permet-elle d'approfondir à la fois la matière et la forme d'un récit? Enfin, il faut se demander s'il ne vaudrait pas mieux, notamment dans le cas des auteures qui recourent à des modèles «féminins», substituer à la notion plus traditionnelle d'influence littéraire celle de «filiation», qui traduirait la volonté d'instaurer — tel un système subsidiaire — une matrilinéarité littéraire.

Nous avons choisi de privilégier la reprise en texte de formes littéraires, que celles-ci appartiennent à des œuvres canoniques, tel le récit de la Genèse, ou à des récits plus récents, tels ceux des écrivains contemporains. Cette investigation nous a permis de repérer certains des textes choisis comme modèles, de même que les références qui étaient ainsi mises en évidence. Tenant pour acquis que la réécriture est le déplacement/détournement d'un texte par un autre, nous nous sommes demandé en quoi les nouveaux textes ainsi produits se démarquaient des modèles générateurs et quelle lecture (critique) ils en faisaient.

L'article «introductif» de Lise Gauvin analyse le phénomène même de la réécriture considérée comme métafiction. Il propose, dans le contexte de l'écriture au féminin, une réflexion sur diverses figures du palimpseste : contre-discours, co-scénarisation, déplacement. L'œuvre d'Hélène Cixous, qu'aborde Mireille Calle-Gruber, est en quelque sorte un cas exemplaire de réécriture, puisque cette pratique est le lieu privilégié par l'écrivaine pour engager une importante réflexion théorique sur la forme même de l'essai. Trois études sont consacrées à des auteures francophones, qui font un usage particulièrement important des hypotextes : la première analyse le détournement des récits de l'origine par des auteures antillaises et maghrébines (Christiane Ndiaye) ; la deuxième approfondit l'aspect de la réécriture chez Assia Djebar en mettant l'accent sur la rencontre entre texte et image dans *Femmes d'Alger dans leur appartement* (Farah Aïcha Gharbi) ; la troisième explore la relecture-réécriture de l'histoire par Andrée Chedid (Jean-Philippe Beaulieu). Les deux dernières contributions se penchent sur la forme que prend le recours à un modèle antérieur dans des œuvres québécoise et belge se rattachant à ce que l'on a l'habitude d'appeler « récit postmoderne ». Dans un récent roman de Suzanne Jacob, la reprise d'un modèle révèle la présence « inquiétante » du personnage mythique qu'est le *Trickster*, figure mythologique précolombienne (Doris G. Eibl). L'article d'Andrea Oberhuber s'intéresse, par-delà la critique de civilisation exercée par les hypertextes, à l'interdépendance de ces stratégies discursives et des prémisses de la postmodernité chez Amélie Nothomb.

Soulignons, pour conclure ces quelques réflexions, qu'il n'était à nos yeux nullement question de nous laisser guider par la seule perspective d'une réécriture du « féminin-masculin ». Ce qui nous importe néanmoins — et là réside le principal objectif de toute forme de réécriture —, c'est de démontrer la pluralité de la pratique palimpseste sous les signes du « féminin », et les moyens par lesquels celle-ci tente d'échapper à l'emprise de l'unique.

Écrire / Réécrire le / au féminin : notes sur une pratique

LISE GAUVIN

Tout texte se construit comme mosaïque de citations, tout texte est absorption et transformation d'un autre texte[1].

La notion de réécriture, entendue au sens d'écriture-palimpseste ou de reprise d'un texte antérieur, est au cœur même de l'acte d'écrire dans la mesure où celui-ci ne saurait s'accomplir sans référence à une tradition littéraire déjà constituée. Jean Giraudoux avait fait dire par l'un de ses personnages : « Le plagiat est la base de toutes les littératures, sauf de la première, qui d'ailleurs est inconnue » (*Siegfried*, acte I, sc. VI). Simple boutade ou facétie, comme aimait en faire Giraudoux ? Le plagiat, quoi qu'en dise l'auteur de *Siegfried*, n'est qu'une des formes de relation entre deux textes, la moins glorieuse et la moins subtile, puisque l'emprunt y est masqué et procède davantage de la superposition que du détournement ou de l'invention. Plus sérieusement, la question très générale de l'intertextualité n'a cessé, notamment depuis les travaux de Bakhtine et de Kristeva, de retenir l'attention. Un Michel Leiris déclare qu'écrire, « c'est confronter, grouper, unir entre eux des éléments distincts, comme par un obscur appétit de juxtaposition ou de combinaison[2] ». Antoine Compagnon, reprenant cet énoncé, précise pour sa part que « le travail de l'écriture est une réécriture dès lors qu'il s'agit de convertir des éléments séparés et discontinus en un tout continu et cohérent [...] toute

---

1. Julia Kristeva, *Séméiôtikè. Recherches pour une sémanalyse (extraits)*, Paris, Seuil, coll. « Points », 1969, p. 89.
2. Cité par Antoine Compagnon dans *La seconde main ou le travail de la citation*, Paris, Seuil, 1979, p. 32.

l'écriture est collage et glose, citation et commentaire[3] ». Alors que
Compagnon s'intéresse aux formes d'inclusion d'un texte à l'intérieur
d'un autre et aux interférences qui en résultent, Gérard Genette se
préoccupe de ce qu'il désigne sous le nom de transtextualité, soit la co-
présence de deux ou de plusieurs textes et les procédés de dérivation
qui sont alors en cause. Bien que les modalités d'interaction fictionnelle
puissent prendre des formes extrêmement variées allant de l'imitation
directe à la parodie, au pastiche et au travestissement, Genette ne craint
pas d'affirmer l'universalité de son propos en déclarant qu'il recouvre
« tout ce qui met [un texte] en relation, manifeste ou secrète, avec
d'autres textes[4] ». Ainsi toute littérature serait donc une « littérature au
second degré ». Et, toujours selon Genette, il n'y a pas de transposition
« innocente », c'est-à-dire pas de réécriture qui ne transforme d'une
manière ou d'une autre le texte de base : la mise en scène par Borges
d'un « Pierre Ménard, auteur du Quichotte » montre bien qu'une modi-
fication, aussi minime soit-elle, dans les conditions de production d'un
texte en change également la perspective.

Dans le contexte de l'écriture au féminin, peut-on voir se dessiner des
figures particulières du palimpseste ? De quelle(s) manière(s) les
écrivaines ont-elles choisi de discuter les modèles fournis par le corpus
littéraire institutionnalisé ? Comment se sont-elles inscrites dans une
tradition reconnue afin de l'attaquer, de la faire dévier ou simplement
de la prolonger ? Questions extrêmement vastes, on en conviendra, qui
mériteraient une longue enquête. Mon propos n'est donc pas de faire ici
l'inventaire des stratégies ainsi mises en œuvre mais plutôt de proposer
quelques pistes de réflexion menant à une configuration possible de la
réécriture au féminin. Configuration qui, comme toute réécriture, s'appuie sur le rapport dialogique écrivain-lecteur et sur les effets qu'il
induit. Car, de façon explicite, le phénomène même de la réécriture est
un *effet de lecture* lié à la reconnaissance du modèle d'une part, et, d'autre
part, à la complicité créée par la double conscience, celle de l'auteur et
du lecteur, de son détournement. Lecteur et écrivain se trouvent par là
même engagés dans une même perspective critique et créatrice. Mais
si elle est toujours, d'une certaine façon, teintée de ludisme puisqu'elle
constitue dès le départ un acquiescement au passage et au relatif, la
réécriture opère selon des modalités fort différentes en vertu des types
d'effets à produire. C'est ce repérage qui a guidé le regroupement qui

---

3. *Idem.*
4. Gérard Genette, *Palimpsestes. La littérature au second degré*, Paris, Seuil, 1982, p. 7.

suit, les exemples choisis étant présentés non pas selon les catégories formelles de la critique genettienne, mais plutôt selon la manière dont ils font interagir trois instances, celle, implicite, du texte ayant servi de modèle, et celles, plus explicites, du narrateur et de son narrataire. Ainsi envisagée sous l'angle de sa fonctionnalité et de sa visée pragmatique, la réécriture permet de déployer autrement la cartographie de l'écriture au féminin et d'en explorer les enjeux.

Le contre-discours, la contre-diction

Les mouvements féministes des années 1970 ont donné naissance à des œuvres de nature polémique visant à faire éclater certaines images et certains mythes culturels. Les textes de cette catégorie sont le plus souvent inspirés des ouvrages canoniques de la littérature mondiale ou encore des figures emblématiques de l'imaginaire collectif. Ainsi s'élabore ce que Richard Terdiman désigne comme un contre-discours, soit un discours qui s'alimente aux discours dominants et en propose une «contre-partie» de façon à les déstabiliser[5]. Cette notion décrit bien ce qui se passe dans un certain nombre de textes à visée manifestaire, comme L'Euguélionne de Louky Bersianik, ou de facture délibérement ironique comme les Métamorphoses de la fée de Pierrette Fleutiaux.

Transgressif et ludique, le roman triptyque intitulé L'Euguélionne[6] de Bersianik revendique le féminin dans une conscience et une «jouis-sens» qui fait appel à une multitude de genres et de tons. Cette réécriture des évangiles par une narratrice tient à la fois de l'épopée et de la science-fiction : une extraterrestre observe, étonnée et enjouée, les habitants de notre planète et dénonce, par le biais de l'humour, les normes et acquis historiques, linguistiques, psychologiques et économiques de la société patriarcale. À la recherche de sa «planète positive» et «du mâle de son espèce», l'Euguélionne examine avec un regard critique l'existence quotidienne des humains et en appelle à une nouvelle réciprocité entre les hommes et les femmes. Du récit au plaidoyer et à la prière, tout est convié à l'élaboration de ce nouvel évangile dans lequel la

---

5. «*Situated as other, counter-discourses have the capacity to situate : to relativize the authority and stability of a dominant system utterances which cannot even countenance their existence.*» Richard Terdiman, *Discourse/Counter-Discourse. The Theory and Practice of Symbolic Resistance in Nineteenth-Century France*, Ithaca/Londres, Cornell University Press, 1985, p. 15.

6. Louky Bersianik, *L'Euguélionne*, Montréal, La Presse, 1976. Dorénavant désigné à l'aide du sigle (*E*), suivi du numéro de la page.

colère emprunte les armes de la dérision et la démonstration ne le cède en rien au plaisir du texte. L'ouvrage reprend à la Bible la situation hors du commun de son héroïne : «Moi, dit l'Euguélionne, je suis une étrangère. Voilà pourquoi je peux me permettre de vous parler de la sorte. Je suis une femme mais je ne suis pas Humaine. Je ne suis pas une femme de votre espèce» (E, 225). Il lui emprunte encore son ton et son style transformés en pastiches savoureux. Ainsi d'un Sermon sur la montagne prononcé devant une Zazie encore plus impertinente que celle de Queneau par un certain St Siegfried qui décline les huit Béatitudes en autant d'éloges du Phallus : «Bienheureux les individus qui naissent avec un Phallus, car ils sont tout entiers à l'image de ce bloc monolithique» (E, 218). Il lui emprunte enfin son côté programmatique et ses phrases impératives : «Faites vos propres lois puisqu'il vous faut des lois. Soyez des auteurs à part entière de votre contrat social. Signez vos propres engagements mais n'endossez plus ceux des autres» (E, 292).

L'ironie de la forme ne rend que plus efficace la portée manifestaire d'un texte dont l'un des principaux enjeux est de jeter les bases d'une langue et d'une culture au féminin. Avant d'y arriver, il faut, pour l'Euguélionne comme pour son auteure, dévoiler les iniquités du français tel qu'institué par une série de règles rigides et injustifiables. Ce qui est dénoncé par là, c'est moins la dissymétrie que le fait que, comme l'explique bien Marina Yaguello, cette dissymétrie «joue toujours dans le même sens, c'est-à-dire au détriment de l'image et du statut de la femme[7]». Ce qui est proposé en contrepartie est l'élaboration d'une langue qui prendrait vraiment en compte le sujet féminin, soit par le retour au sens étymologique, soit par des créations lexicales visant à combler les carences de l'usage et à établir de nouveaux codes. Il ne s'agit pas d'élaborer un système doté de règles fixes, mais plutôt d'en appeler à une langue regénérée, lieu de transformations constantes. Ainsi l'Euguélionne énonce-t-elle, en fin de parcours, la transgression comme seule norme acceptable et seul précepte digne d'être suivi : «Transgressez mes paroles et les paroles de tous ceux qui vous parlent avec autorité» (E, 385). Comme tout manifeste, le contre-discours porte en germe une dimension utopique. Mais l'intention est ici moins de construire que de déconstruire : dans cette «traversée parodique des discours patriarcaux[8]», l'oppression est beaucoup plus visible que la

---

7. Marina Yaguello, *Les mots et les femmes*, Paris, Payot, 1992 [1978], p. 139
8. Lori Saint-Martin, «L'ironie prise au piège : l'exemple de *L'Euguélionne*», dans *Contre-voix. Essais de critique au féminin*, Québec, Nuit blanche éditeur, 1997, p. 138.

libération, et, comme le signale Lori Saint-Martin, la « "planète positive" qu'on y cherche tarde à surgir[9] ».

La contre-diction opère encore dans la réécriture des contes de Perrault effectuée par Pierrette Fleutiaux dans les *Métamorphoses de la reine*[10]. Il s'agit cette fois de reprendre les principaux motifs des récits en question et de les inverser de façon systématique. Dans le premier texte du recueil, intitulé «La femme de l'ogre», l'histoire du Petit Chaperon rouge est racontée aux ogrelettes comme celle d'une petite fille qui ne souhaite qu'une chose, manger le loup. Quant à Poucet, il est présenté, toujours dans la même histoire, comme un garçon obligé de traîner avec lui ses «six frères geignant, toujours empêtrés par les racines, et le désir chimérique de revenir à leurs parents, et la peur névrotique des loups» (M, 45). C'est ce même Poucet qui, devenu l'amant de la femme de l'ogre, sera finalement transformé en prince charmant. Le conte suivant, «Cendron», prend une fois de plus la contrepartie du schéma classique en présentant un jeune homme, fils du premier mariage de sa mère, maltraité par son parâtre et ses deux demi-frères. Il finira par aller lui aussi au bal donné par une princesse, mais celle-ci étant stupide, il lui préférera sa mère la reine qui, bien que plus âgée, partage son goût des livres et de la musique. Plus encore que l'histoire elle-même, ce qu'il est intéressant de noter dans ce récit est la manière dont le texte joue sur la complicité avec le lecteur, instituant ainsi un dialogue métadiégétique. Lorsque vient le temps de la transformation de Cendron en beau cavalier, on prévient: «Cette partie de l'histoire étant dans toutes les mémoires, je ne m'y attarderai guère» (M, 63). Ou encore, de façon très explicite : «Lecteurs, lectrices, excusez-moi, il m'a fallu si longtemps marcher à travers le dédale embroussaillé de ce vieux conte faussé qu'arrivée ici, je ne veux me presser, il me faut raconter chaque détail de cette rencontre si remarquable» (M, 73). À d'autres moments, la connivence s'établit sur une allusion à l'hypotexte : «La reine, qui n'avait eu telle compagnie depuis la mort du Roi son époux, et à y bien songer n'en avait eu telle même de son vivant, le roi n'ayant pas laissé grand souvenir dans le conte, sentait remuer en elle mille sources oubliées, son visage avait une animation charmante et Cendron la contemplait avec ravissement» (M, 75). Par ailleurs, le texte utilise habilement l'anachronisme pour bien marquer l'actualisation contemporaine

---

9. *Idem.*
10. Pierrette Fleutiaux, *Métamorphoses de la reine*, Paris, Gallimard, coll. «Folio», 1990 [1984]. Dorénavant désigné à l'aide du sigle (M), suivi du numéro de la page.

du récit : Cendron, en quittant le bal avec précipitation, ne laisse pas tomber l'un de ses souliers, mais plutôt une partie de son *talkie-walkie*. L'enquête mandatée par la reine pour retrouver son prince donne lieu à un pastiche de la phrase célèbre du *Bourgeois gentilhomme*, prononcé par les demi-frères laissés pour compte : « D'amour mourir vos beaux yeux belle princesse me font » (*M*, 77).

Dans l'une des histoires suivantes, Petit Pantalon Rouge, appelée aussi PPR, devient, après avoir maîtrisé quelques loups, l'une des femmes de Barbe-Bleue dont elle arrive à rompre l'ensorcellement. La complicité, cette fois, prend la forme d'une série de notes destinées à compléter le texte. Cet apparat critique prétend aussi livrer l'exégèse de certains passages, tel le discours muet du loup : « Des recherches récentes autorisent à penser que les consonnes manquantes dans le discours du loup aux mâchoires scellées pourraient être respectivement : "p s r". Le texte se lirait alors : "Pue, sue, rue" et pourrait se comprendre de la façon suivante : "Elle pue, elle sue, elle rue" » (*M*, 136). On ne saurait afficher plus clairement la dimension ludique d'une œuvre qui ne s'appuie sur le modèle initial que pour mieux le faire bifurquer vers d'autres sens et d'autres connotations. Ces contes de *fées-ministes* imitent le style et la forme des textes de Perrault, leur déroulement séquentiel, leur logique narrative simplifiée, leurs personnages stéréotypés, mais une fois cela posé, l'auteure se donne la liberté d'en croiser les éléments tout à loisir, de les juxtaposer, de les travestir et, enfin, de les retourner contre leur propre énonciateur.

Des entreprises analogues ont été tentées récemment, grâce à l'initiative des éditions Stock, qui publient côte à côte dans une nouvelle collection le texte de base et sa version actualisée. Deux titres ont déjà paru : *Peau d'âne* par Christine Angot et *Riquet à la houppe, Millet à la loupe* par Catherine Millet[11]. Le travail de réécriture est alors clairement affiché, le lecteur pouvant se référer au texte modèle quand bon lui semble, ce qui donne le choix à l'auteure d'y faire allusion explicitement ou non. Dans le cas d'Angot, le canevas du conte est de nouveau renversé par l'image d'une jeune fille qui reçoit un jour le baiser d'un homme dont elle ignore l'identité précise, mais qui pourrait bien être son père, un homme qui n'a cessé de lui offrir des vêtements lui collant à la peau et pour cela l'aurait surnommée Peau d'âne. Et ainsi se retrouve, en filigrane cette fois, le thème de l'inceste déjà traité par Angot et aussi

---

11. Christine Angot, *Peau d'âne*, Paris, Stock, 2003. Catherine Millet, *Riquet à la houppe, Millet à la loupe*, Paris, Stock, 2003.

présent dans le conte de Perrault, avec cette différence toutefois que le deuxième texte contredit le premier dans la mesure où l'héroïne de Perrault cherche par tous les moyens à échapper à l'amour interdit alors que celle d'Angot « a été réveillée par le baiser de cet homme qui n'était pas le prince, qui n'était pas le prince charmant[12] ». Quant au récit de Catherine Millet, il emprunte la voie autobiographique pour discuter du sens à donner à son nom — Millet devenant « mi-laid » — et revoir le parcours de l'écrivaine-critique qui ne craint pas d'avouer sa préférence pour Riquet avec houppe et bosse plutôt que Riquet devenu un beau prince. La narratrice avoue qu'enfant elle était folle de Quasimodo et qu'elle partageait « la déception de Belle lorsque la Bête prend l'apparence d'Avenant, le séduisant jeune homme qui la courtisait[13] ». Dans l'un et l'autre de ces textes, le commentaire et la glose l'emportent sur le récit proprement dit, faisant de l'exercice davantage un prétexte à confession qu'à réécriture. On y remarque cependant, comme dans *Métamorphoses de la reine*, le désir de renverser l'ordonnance de la diégèse et de contredire les versions connues — officielles — des contes choisis.

La contre-diction consiste à opposer aux discours dominants représentés par certaines œuvres canoniques une répartie transgressive et inversée. L'effet produit repose sur le caractère d'évidence du modèle, utilisé alors à titre de « lieu commun » littéraire. Des mille manières de réécrire un texte, le contre-discours n'est que la plus apparente, la plus voyante peut-être, mais, par son dessein trop marqué, celle aussi qui laisse le moins de place à la coopération du lecteur dont les réactions sont déjà programmées et mises en texte. D'autres configurations sont possibles, qui procèdent de ce qu'on peut désigner sous le nom de co-scénarisation ou d'adaptation.

La co-scénarisation, l'adaptation

Emprunté au vocabulaire cinématographique, le concept de co-scénarisation rejoint celui d'adaptation entendu au sens de dérivation d'un texte vers un autre, d'un média vers un autre. La notion même d'adaptation, qui repose trop souvent sur des notions de hiérarchie et de fidélité, est désormais remplacée par des concepts plus dynamiques d'équivalence, de transfert, de transformation. Dans son ouvrage devenu classique, *La transformation filmique*, Linda Coremans insiste pour dire qu'il

---

12. Christine Angot, *op. cit.*, p. 34.
13. Catherine Millet, *op. cit.*, p. 41.

s'agit bien de «rapports intertextuels entre deux systèmes sémiotiques différents : l'un utilisant un signe abstrait, un symbole (au sens peircien), "le mot", l'autre un signe iconique, "l'image[14]"». Dans la plupart des cas, l'adaptateur est un nouvel auteur qui, à sa façon, revoit et interprète le texte du roman. De tels passages d'une forme à une autre, parfois même d'une culture à une autre, supposent un délicat travail de scénarisation. Mais l'adaptation peut aussi s'effectuer à l'intérieur d'un même genre, en l'occurrence le roman, et supposer l'intervention d'un nouvel auteur dont le rôle consiste à relire le texte de base et à le réinvestir de significations inédites. Telle est, dans la grande majorité des cas, l'entreprise de réécriture telle qu'elle a été pratiquée au cours des siècles aussi bien par les écrivains masculins que féminins : l'œuvre du passé se trouve ainsi réactualisée et recontextualisée dans un monde familier à l'auteur et à ses lecteurs. Dans la mesure où cette réécriture rejoint les stratégies post-coloniales, elle s'apparente au contre-discours défini par Helen Tiffin comme une façon d'interroger les discours et moyens par lesquels l'Europe a imposé ses codes au cours de l'ère coloniale[15]. Dès lors, la nécessité de réécrire certaines fictions devient prioritaire. Il est donc possible de considérer sous cet angle les réécritures par Maryse Condé des classiques de la littérature anglaise. Mais le rapport dialectique ainsi établi s'accompagne chaque fois d'une nouvelle proposition textuelle prenant appui sur le texte de base sans toutefois s'y restreindre. Sans surtout, et c'est là à mon avis l'essentiel, chercher à en fournir la contre-diction. Dans un autre registre, Muriel Spark réécrit le mythe de Robinson selon une perspective qui met en évidence le féminin tout en respectant les motifs principaux du mythe. Chacun des récits ainsi déployés constitue une transposition libre du modèle dans laquelle la part d'invention est aussi importante que celle faite à la discussion du texte antérieur. On peut alors parler d'une co-scénarisation de la diégèse.

Après plusieurs romans dont *Ségou*, *La vie scélérate* et *La colonie du Nouveau Monde*, Maryse Condé a choisi d'adapter au contexte antillais, dans *La migration des cœurs*[16], *Les hauts de Hurlevent* d'Emily Brontë. Le personnage d'Heathcliff y devient Razyé, un Noir à la vie tumultueuse et au grand pouvoir de séduction, victime lui-même d'un amour impos-

---

14. Linda Coremans, *La transformation filmique*, Francfort/New York/Paris, Peter Lang, 1990, p. 14.

15. Helen Tiffin, «Post-Colonial Literatures and Counter-Discourse», *Kunapipi*, vol. IX, n° 3, p. 17-34.

16. Maryse Condé, *La migration des cœurs*, Paris, Laffont, 1995.

sible, celui qu'il éprouve pour la belle Cathy de Linsseuil. Le roman est tout entier centré sur l'histoire de cette passion, à la fois partagée et contrariée, et les personnages secondaires n'interviennent que dans la mesure où ils ont un lien direct avec les héros. Histoire d'amour, de bruit et de fureur, de violence exacerbée mais aussi de tendresse et de sensualité qui se répercute de lieu en lieu et de génération en génération, comme si l'emprise du tragique était plus forte que toute velléité de salut individuel. Dans cette Guadeloupe de la fin du XIXᵉ siècle, où les classes sociales sont encore déterminées par la couleur de la peau, les antagonismes familiaux sont tenaces. Quant à la bourgeoisie coloniale, elle est montrée comme résistant tant bien que mal et plutôt mal que bien à la révolte des travailleurs de plantation et au socialisme naissant. L'état de santé précaire d'Alméric de Linsseuil, celui que l'on surnommait «Le Chérubin blond» et qui pourtant s'efforçait d'être «un bon patron», est dans un tel contexte fortement symbolique.

La migration des cœurs est une fiction dans laquelle le romanesque reprend tous ses droits. D'une construction astucieuse, il comprend cinq parties qui correspondent aux lieux fréquentés par Razyé et par l'un de ses descendants, surnommé Rasyé II. Ces lieux sont Cuba, la Guadeloupe, Marie-Galante, Roseau puis à nouveau la Guadeloupe. Dans chacune des parties, la parole est donnée à tour de rôle aux multiples personnages — nourrices, domestiques, vendeuse de poissons, etc. — qui accompagnent les héros dans leurs fuites de telle sorte que ceux-ci en ressortent à la fois familiers et davantage énigmatiques. On ne saura jamais ainsi ce que contient le journal de Cathy de Linsseuil et ce mystère final renvoie à celui qui, de récit en récit, de chapitre en chapitre, plane sur l'ensemble du livre. C'est cette vue oblique laissant place à une diversité d'hypothèses, cette interrogation à plusieurs niveaux sur le sens de la vie et du destin qui tient le lecteur en haleine de la première à la dernière page du roman que l'on pourrait aussi coiffer du titre de l'un de ses chapitres : «Arrive ce qui est déjà arrivé».

Avec *La Belle Créole*[17], Maryse Condé fait de nouveau appel à l'hypertextualité en créant un huis clos en noir et blanc sur fond de guérilla locale entre les nantis et les autres, c'est-à-dire la majeure partie des habitants d'une commune de Guadeloupe nommée Port-Mahault. C'est là que se noue l'intrigue entre un jeune Noir nommé Dieudonné et une patronne békée, Loraine Féréol de Brémont, une intrigue que la

17. Maryse Condé, *La Belle Créole*, Paris, Mercure de France, 2001. Dorénavant désigné à l'aide du sigle (*B*), suivi du numéro de la page.

quatrième de couverture nous invite à lire comme une réécriture de *L'amant de Lady Chatterly*.

En réalité, l'amour physique tient assez peu de place dans cette histoire livrée en *flash-back* et distillée goutte à goutte à la manière d'une enquête menée par un narrateur-policier complice d'un personnage dont le portrait se trace au fil des événements racontés. Le récit s'ouvre au moment où le Noir en question, Dieudonné, est acquitté du meurtre de Loraine grâce à une brillante plaidoirie de Maître Matthias Serbulon, qui a convaincu un jury crédule qu'il s'agissait d'une vengeance liée à l'esclavage et à la colonisation : « Matthias était plutôt fier de son argumentation qu'il jugeait césairienne, voire fanonienne. La maîtresse békée cruelle. L'esclave sans défense. La maîtresse humilie, manie le fouet. Un jour, l'esclave se libère. En tuant. Baptême du sang » (*B*, 44). Mais la vérité a peu à voir avec ce schéma simpliste et c'est cette vérité que la romancière s'est donné comme projet de dévoiler, dans sa complexité sans gloire. Petites joies et grandes misères se succèdent depuis la naissance de Dieudonné, enfant de mère aimée et de père inconnu qui, devenu orphelin, établit des alliances avec des mauvais garçons et, après un bref épisode heureux en compagnie d'une famille de Blancs, décide de faire de leur voilier abandonné, *La Belle Créole*, son refuge et son confident. Il n'est pas seul à fréquenter ce lieu : là se retrouvent aussi Rodrigue le voleur et Boris le poète qui, depuis l'abribus qui lui sert de quartier général, se rend tous les jours à quelque station-service pour offrir ses œuvres aux touristes de passage.

Certains personnages traversent ainsi la scène romanesque et accompagnent, à la manière d'un chœur antique, l'amour irraisonné de l'amant-jardinier pour une Lady Chatterly aux charmes fanés et au caractère irascible. Insensiblement, le récit passe de l'un aux autres, revenant sans cesse au héros et à son itinéraire dont le tragique n'est donné que par touches discrètes, jamais appuyées. Rien n'est vraiment expliqué ni explicable dans cette intrigue sur laquelle planent les mystères et maléfices de la nuit. Nuit des chambres protégées, mais aussi des bars réservés à une clientèle de luxe, des maisons où les femmes attendent vainement le retour du père de leur enfant, des prostituées généreuses, des gamins prédateurs. Nuit encore et surtout des hordes de chiens errants à l'affût de leur proie et semant la terreur chez des passants isolés. On n'échappe pas facilement, sous les tropiques, aux multiples visages de la nuit, à leur attrait fascinant et trouble. Seule la mer, avec sa part d'inconnu et de sortilèges, peut leur faire échec, rivaliser avec leurs pouvoirs et leur tenir tête. C'est ce qu'a compris Dieudonné en confiant à *La Belle Créole* la mission de l'amener vers d'autres ports et d'autres rivages. Dans cette chronique d'une tragédie annoncée et dans cette description clinique d'une petite société, celle de Port-Mahault, avec son système de classes et ses langues hiérarchisées, ses aspirations politiques, ses intrigues, ses grèves, ses rêves et ses ratés, Maryse Condé sait avec un art consommé mêler histoire individuelle et histoire collective de façon à donner au lecteur l'illusion d'une photographie d'époque, qui, avec le temps, verra la gamme de ses noirs, ses blancs et ses gris s'atténuer doucement jusqu'à prendre la couleur sépia des documents d'archives.

L'un et l'autre de ces romans mettent en scène une dynamique que Françoise Lyonnet nomme « transcoloniale », évoquant par là « le transfert et le passage, le mouvement dans l'espace réel ou métaphorique, et la traduction ou *translation* d'une langue dans une ou plusieurs autres ». « Ce mouvement, poursuit-elle, dénote moins la temporalité et la succession — ou l'opposition — de moments distincts […] que la possibilité de passer d'un domaine à un autre pour enrichir la nouvelle destination de l'apport de la précédente et nous donner par la même occasion la possibilité de réinterpréter les sources elles-mêmes[18]... »

Plusieurs textes d'auteures contemporaines peuvent être ainsi examinés sous l'angle de la transposition et de la relecture de modèles consacrés. Le *Robinson*[19] de Muriel Spark, notamment, réécrit le mythe tout en en respectant les motifs principaux. La romancière choisit de donner un double féminin au héros classique : à la suite d'un accident d'avion, January échoue, avec deux autres compagnons, sur l'île Robinson, une île de forme humaine ainsi nommée parce qu'elle est occupée par l'ermite Robinson. January est journaliste et a reçu une commande de livres sur les îles « pour une collection qui comportait des ouvrages sur trois n'importe quoi ; trois fleuves, trois lacs, des trios de montagnes, de courtisanes, de batailles, de poètes, de vieilles maisons de campagne » (*R*, 95). Elle se rendait à l'une des Açores, qui devait être sa troisième île. Or voilà que le sort en décide autrement. Elle se retrouve donc sur l'île Robinson, en compagnie de deux hommes dont l'un est directeur d'une publication intitulée *Votre avenir*, fonction qui lui sert

---

18. Françoise Lyonnet, « Transcolonialismes : échos et dissonances de Jane Austen à Marie-Thérèse Humbert et d'Emily Brontë à Maryse Condé », dans Robert Dion, H.-J. Lüsebrink et János Riesz (dir.), *Écrire en langue étrangère*, Québec/Francfort, Nota bene/ IKO Verlag, 2002, p. 230.

19. Muriel Spark, *Robinson*, trad. Léo Dilé, Paris, Fayard, 1994 [1958]. Dorénavant désigné à l'aide du sigle (*R*), suivi du numéro de la page.

d'alibi pour abuser de la crédulité des gens. Robinson lui-même est un original : riche héritier d'une famille aisée, il préfère la solitude de l'île à l'administration de ses biens. Il y demeure en compagnie d'un enfant de neuf ans, Miguel, dont il fait l'éducation. Quelque temps à peine après l'arrivée de January, Robinson convainc celle-ci de tenir son journal en lui précisant : « Tenez-vous-en aux faits. Décrivez le décor » (R, 29). « À l'époque, confie la narratrice, Robinson estimait que le fait de tenir un journal m'occuperait l'esprit, et je caressais le projet d'enjoliver plus tard ce journal, peut-être, pour en faire un roman » (R, 10).

Revenue en Angleterre, January apprend par les journaux que l'île Robinson est en train de s'engloutir par suite d'un effet volcanique. « Dans un certain sens, constate alors la narratrice, j'en étais déjà venue à considérer l'île comme un lieu imaginaire » (R, 217). Et elle ajoute : « Il s'agit bien, maintenant, d'une île apocryphe » (R, 217). Ce roman peut être lu comme une suite à *Suzanne et le Pacifique* de Giraudoux qui déjà opère une transsexualisation[20] de l'instance narrative. Mais celle-ci, cette fois, est comme dédoublée puisque l'ermite Robinson joue le rôle de mentor et de maître en écriture auprès de la journaliste. En concluant à une île apocryphe et « imaginaire », January-Spark affiche de façon manifeste l'arbitraire de la fiction et les pleins pouvoirs dévolus au romancier d'en modifier les contours.

Ces œuvres sont des *Copies* — non — *conformes* qui s'inspirent d'une œuvre antérieure à la manière de Monique LaRue se référant au *Faucon maltais* de Dashiell Hammett pour interroger les notions de double et d'identité féminine[21]. Comme pour les exemples précédents, la réécriture s'appuie sur un pacte implicite qui suppose, dès le départ, la reconnaissance du texte d'origine. Les greffes, modifications et transformations opérées en constituent le prolongement, ou, si l'on préfère, forment des intrigues parallèles qui viennent compléter l'œuvre modèle et la réactualiser. Le métissage de textes ainsi institué n'a plus rien à voir avec les « emprunts » cachés d'une Calixte Beyala. De telles écritures s'inscrivent en contrepoint plutôt qu'en contrepartie. Chacun des romans évoqués n'est pas le double inversé de l'« original » mais la configuration d'un nouvel original, soit une version possible de l'histoire initiale ou son détournement par recontextualisation. Ces réécritures sont des mises en scène du féminin dans des récits qui lui font la part congrue.

---

20. Rappelons que *Foe*, de John Maxwell Coetzee (Paris, Seuil, 1988), met aussi en scène une héroïne, Susan Barton, qui aborde sur une île où se trouve déjà Robinson, qu'elle convainc d'écrire le récit de ses aventures.

21. Monique LaRue, *Copies conformes*, Paris, Denoël, 1989.

Par ailleurs, d'autres auteures comme Djebar ou Brossard choisissent de faire appel au recyclage textuel par simple déplacement de point de vue ou par répétition/modulation de la diégèse.

Le déplacement, la reprise

De livre en livre et avec une patience indéfectible, Assia Djebar laisse parler « ces voix qui [l]'assiègent[22] ». Voix de femmes de son Algérie natale retrouvées malgré la distance de l'exil ou peut-être à cause de cet éloignement même. Voix alternées des aïeules et des adolescentes, des recluses et des militantes, des paysannes et des intellectuelles. Depuis son premier roman jusqu'à son plus récent, la romancière-cinéaste explore les zones d'ombre et de lumière qui transforment les vies en destins. Travail de dévoilement qui s'opère le plus souvent par une prise de parole successive, selon une technique héritée du conte laissant à chaque personnage le privilège de narrer les événements selon son propre point de vue. Au lecteur ensuite de décrypter les non-dits, les sous-entendus, les ambiguïtés, voire les contradictions du propos.

Écrire, pour celle qui n'hésite pas à se nommer « écrivaine[23] », c'est d'abord savoir accomplir un « trajet d'écoute ». Ce trajet, on le retrouve dans le recueil de nouvelles qu'est *Femmes d'Alger dans leur appartement*, publié pour la première fois en 1980 et réédité en même temps que *La femme sans sépulture*[24]. La réécriture au féminin des tableaux de Delacroix et de Picasso s'assortit, lors de sa réédition en 2002, d'une nouvelle inédite, composée à New York au moment des événements de septembre 2001. Le texte, intitulé « La nuit du récit de Fatima », met en scène cette fois encore la parole de femmes de plusieurs générations dans une tentative de déchiffrer la complexité de leur condition. Celle qui dit ne pas prétendre « parler pour », ou « parler sur », mais plutôt « parler près de » et si possible « tout contre » avoue, en guise de retour sur son propre parcours, « combien parler sur ce terrain devient (sauf pour les porte-parole et les "spécialistes") d'une façon ou d'une autre une transgression[25] ».

22. Assia Djebar, *Ces voix qui m'assiègent*, Montréal/Paris, Presses de l'Université de Montréal/Albin Michel, « Prix de la revue *Études françaises* », 1999.
23. *Ibid.*, p. 62.
24. Assia Djebar, *La femme sans sépulture*, Paris, Albin Michel, 2002. Dorénavant désigné à l'aide du sigle (*F*), suivi du numéro de la page.
25. Assia Djebar, « Ouverture », *Femmes d'Alger dans leur appartement*, Paris, Albin Michel, 2002 [1980], p. 9.

La femme sans sépulture emprunte à *Femmes d'Alger dans leur apparte-*
ment sa forme en mosaïque et la tonalité de ses voix souterraines parlant
une «langue non écrite, non enregistrée, transmise seulement par chaîne
d'échos et de soupirs[26]». Langue traduite peut-être de l'arabe populaire, du berbère ou du bengali, mais toujours avec un «timbre féminin
et [des] lèvres proférant sous le masque[27]». Le livre retrace l'itinéraire
de Zoulikha, l'héroïne de la guerre d'indépendance algérienne surnommée la «mère des maquisards» qui fut portée disparue en 1957 après
avoir été faite prisonnière par les Français. Autour de cette figure centrale s'élabore une vaste fresque constituée par les confidences de celles
qui l'ont côtoyée et soutenue, ses propres filles d'abord, ses parentes et
amies ensuite, dont la biographie se confond avec l'histoire collective
en cette période de bouleversements politiques et sociaux. À tour de
rôle, les unes et les autres viennent ainsi témoigner des misères et des
joies liées à leur engagement, des périls affrontés, des sacrifices consentis.
Parmi ces femmes-récits se trouve Mina, petite fille devenue adulte trop
tôt par suite du départ de sa mère. Aussi Zoulikha elle-même qui, à
quelques reprises, confie à une narratrice invisible ses peurs, ses doutes,
mais surtout sa détermination à accomplir malgré les embûches la mission impossible qu'elle s'est donnée d'être à la fois mère et maquisarde.

À travers toutes ces voix, celle de la première narratrice prend parfois le relais des paroles pour se faire entendre. Celle que l'on nomme
«la visiteuse», «l'étrangère pas tout à fait étrangère», tient à préciser
qu'elle est elle-même née dans cette ville qu'elle continue à nommer
Césarée, malgré son nom actuel de Cherchell. Assia Djebar, double de
la narratrice, y était revenue en 1976 pour tourner un film consacré à
Zoulikha et dédié à Béla Bartók. C'est de là que procède le roman, à
partir des témoignages entendus et des souvenirs personnels de son
enfance. Une mosaïque du musée de la ville représente Ulysse attaché
à son mât pour mieux résister aux chants non pas des sirènes conven-
tionnelles mais de femmes-oiseaux. Zoulikha, la femme restée «sans
sépulture», celle dont on n'a pas retrouvé le corps et qui pour cela n'a
pas reçu l'hommage auquel elle avait droit, serait pour la romancière
une de ces femmes-oiseaux dont le chant risque de s'effacer dans la
mémoire. «Je suis revenue pour le dire, précise-t-elle dans un "épilogue".
J'entends, dans ma ville natale, ses mots et son silence, les épaves de sa
stratégie avec ses attentes, ses fureurs… Je l'entends, et je me trouve

---

26. *Ibid.*, p. 7.
27. *Idem.*

presque[28] dans la situation d'Ulysse, le voyageur qui ne s'est pas bouché les oreilles de cire, sans toutefois risquer de traverser la frontière de la mort pour cela, mais entendre, ne plus jamais oublier le chant des siècles ! » (*F*, 214) Celle qui se nomme « l'écouteuse » tente ainsi d'échapper à l'oubli qui la menace et menace les gens de sa ville natale : « Je ne m'éloigne pas. Je n'ai pas demandé à être immobilisée », insiste-t-elle encore en évoquant de nouveau la figure d'Ulysse (*F*, 220). Car la mémoire ne saurait être le seul apanage des pierres.

En transposant dans son récit la fresque du musée de Césarée, Djebar reprend un procédé qui rappelle celui de *Femmes d'Alger dans leur appartement*. Cette fois le point de départ est non seulement l'image mais le mythe qu'elle infléchit subrepticement. D'où le « presque » de la citation donnée plus haut. Comme Ulysse, la romancière devenue narratrice adopte une position de retrait. Cependant, à la parole collective et indifférenciée des sirènes, elle substitue la parole individualisée, la parole-signe, la parole-écho, une parole jusque-là oubliée sinon interdite. A-t-on jamais su quels mots parvinrent aux oreilles d'Ulysse ? Tout en reproduisant le schéma homérique, Djebar le déplace et le transforme : à travers les récits de ses femmes-oiseaux, elle inscrit le féminin dans les interstices du mythe et de l'Histoire.

L'écriture comme reprise, répétition et déplacement, telle est aussi la fable sur laquelle se construit *Le désert mauve*[29] de Nicole Brossard. Travail du texte sur lui-même, de repli et de modulations, l'ouvrage est un *work in progress* mettant en scène divers niveaux de fiction : celui du roman écrit par une certaine Laure Angstelle et intitulé « Le désert mauve », roman trouvé dans une librairie d'occasion par une autre femme, Maude Laures, qui entreprend de le traduire. La deuxième partie du livre reconstitue le parcours de la traductrice et sa lecture du roman, ses notes, sa vision des personnages, des scènes qui ont pu avoir lieu, des objets et des paysages. Il s'agit, selon les mots mêmes de la traductrice, d'une « restauration », ou encore d'une réécriture minimale à partir des motifs fournis par le premier roman. La troisième partie donne à lire les résultats de cette recherche, soit un nouveau roman qui reprend, avec variantes, le propos de la fiction initiale. Ainsi se retrouvent côte à côte le livre publié, le livre rêvé et le livre traduit. Cet auto-engendrement prend la forme d'une mise en scène explicite

---

28. C'est moi qui souligne.
29. Nicole Brossard, *Le désert mauve*, Montréal, L'Hexagone, 1987. Dorénavant désigné à l'aide du sigle (*D*), suivi du numéro de la page.

de la problématique de la traduction comme lecture et re-création, comme un «temps fort de l'expérience» et comme une «invite au délire» (D, 59). À cette différence près que la traduction dont il est question n'est pas le passage d'une langue à une autre mais d'une version à une autre, dans la même langue, ou mieux encore la production d'un nouveau langage dans la langue.

Il s'agit bien de dé-lire le texte, de le déplier, de le retourner dans tous les sens afin d'en faire advenir les effets latents : «Tout avait pourtant été possible dans la langue de l'auteure, mais dans la sienne [...] Maude Laures s'était laissée séduire, *ravaler* par sa lecture» (D, 59). Elle doit alors accepter de se transformer en «*bloc de concentration*» : «[...] les yeux astreints au moindre détail pendant qu'au loin les images les plus intimes vacillaient, Maude Laures s'adaptait à toutes les intrigues pouvant, état d'alerte, disposer de sa ferveur.... et *de sa froideur*» (D, 64-65). Le dernier mot, mis en italique, indique la distance nécessaire à toute re-création qui doit s'appuyer au préalable sur une dimension critique[30]. «Car à l'improviste "tromper la langue" lui venait comme une réplique nécessaire afin que soit reconstituée "la fiction", le contour tremblé de ses effets» (D, 65). Le résultat donnera d'infimes modifications, ou mieux encore des modulations souvent à peine perceptibles. Mais le lecteur aura accompagné le parcours de la traductrice, sa lecture de l'œuvre, son interrogation, son inquiétude et l'élaboration de son propre roman donné à l'état de fragments, de pistes imaginaires. Tel est, représenté de façon emblématique, le processus même de la réécriture au féminin, centré cette fois sur la reprise d'un récit écrit par une autre femme et donné à la manière d'une longue citation. À partir d'un texte antérieur, l'enjeu consiste moins à faire dévier qu'à refaçonner et à «remodeler» : «Tout n'est encore qu'intention de *faire passer*. Perspective répétée de l'aller-retour. Recours à l'original, néanmoins la démarche interposée, la dérive comme un choc culturel, une émotion grave semée de miroirs et de mirages. La nuit, Maude Laures rêvait de *son livre* et le jour, avant même de s'adonner aux principes de l'audace et de la prudence, elle pensait à Laure Angstelle. Cela la rassurait de savoir qu'elle était libre de tout (imaginer) à son sujet» (D, 61). Faire passer le féminin dans l'écriture est, pour Nicole Brossard, un processus ininterrompu, dont l'inachèvement même est garant de vitalité.

---

30. Voir à ce sujet, notamment, Catherine Perry, «L'imagination créatrice dans *Le désert mauve* : transfiguration de la réalité dans le projet féministe», *Voix et images*, vol. XIX, n° 3 (57), 1994, p. 585-607. Également Henri Servin, «*Le désert mauve* de Nicole Brossard ou l'indicible référent», *Québec Studies*, n° 13, 1991-1992, p. 55-63.

Il serait facile de repérer dans *Le désert mauve* des éléments de contre-discours[31], notamment dans la présence typifiée de l'Homme long, personnage énigmatique dont la principale fonction semble être celle de catalyseur du récit afin d'en provoquer l'issue.

Mais dans la deuxième partie du livre, les chapitres du roman de Laure Angstelle qui le mettent en scène sont remplacés par une série de photos en noir et blanc comme si la traductrice, cette fois, avait abdiqué devant la réalité de l'image. L'essentiel du propos est ailleurs, dans l'exploration d'une fiction déjà construite et dans une sororité que le langage doit à nouveau réactualiser : «D'une langue à l'autre il y aurait du sens, juste distribution, contour et rencontre du moi, cette substance mouvante qui, dit-on, entre dans la composition des langues et qui les rend savoureuses ou détestables. Maude Laures savait que le temps était maintenant venu de se glisser anonyme et entière entre les pages» (*D*, 177). Dans la mesure où le texte se déploie comme une modulation, «Le désert mauve», le premier roman, «est un accident», c'est-à-dire un véritable pré-texte à l'exploration. Il ne s'agit plus d'écrire *le* féminin, dans une perspective d'opposition voire de transposition de fictions antérieures, mais d'écrire *au* féminin, de capter les harmoniques de ce qui apparaît comme une fiction elle-même susceptible de variantes sans fin. L'écriture ainsi mise en scène se donne à voir comme une forme de réécriture, ou comme un *horizon de la lecture* présenté comme un dialogue ininterrompu entre le lecteur, l'auteur et une œuvre toujours en devenir.

Si écrire est toujours, de quelque façon, réécrire le monde et sa littérature, on peut renverser la proposition et dire que réécrire est aussi *écrire*, au premier degré, réinventer la littérature et ses modèles, voire se constituer en modèle dans la chaîne infinie des textes qui constituent la bibliothèque mondiale. Rappelons qu'il y a au départ une certaine humilité à s'inscrire ainsi délibérément dans une tradition, ne serait-ce que pour mieux l'infléchir. Car «du passé, les femmes ne s'estiment jamais quittes», constatait avec justesse Suzanne Lamy dans un ouvrage au titre programmatique, *Quand je lis je m'invente*[32], qui renvoie à la circularité du rapport entre lecture et écriture.

---

31. Éléments qui se retrouvent également dans l'œuvre poétique de Brossard. Pour une analyse de cette œuvre dans son ensemble, voir Louise Dupré, *Stratégies du vertige*, Montréal, Éditions du Remue-ménage, 1989.
32. Suzanne Lamy, *Quand je lis je m'invente*, Montréal, L'Hexagone, 1984.

La réécriture telle que nous l'avons définie dans cet article et dans ce numéro — une métafiction qui reprend un texte dans son ensemble — peut être considérée sous le régime de la parodie dans la mesure où celle-ci procède de «para» qui veut dire «à côté» et «contre», «proximité» et «distance». À ce titre, elle est particulièrement moderne, voire postmoderne, car elle «met en question la capacité de l'œuvre littéraire à représenter la [réalité] et à imiter des [modèles][33]», mais aussi spécifiquement littéraire: «Toute parodie affirmée dénonce celle qui est larvée dans la littérature courante ignorante de ses propres modèles[34]».

Cependant, le terme même de parodie, bien qu'il inclue, dans une acception très large, le ludique et le sérieux, ne rend pas tout à fait compte de la portée des bouleversements opérés sur les textes d'origine par les réécritures au féminin, ces réécritures ne pouvant être appréhendées comme de purs jeux formels. Qu'elles soient contre-discours à visée polémique, co-scénarisation par transposition, réappropriation et détournement ou encore qu'elles reposent sur de subtils déplacements, les métafictions des écrivaines donnent à voir le féminin de et dans l'écriture en l'instituant comme l'une des articulations possibles de la littérarité.

33. Margaret Rose, citée dans Daniel Sangsue, *La parodie*, Paris, Hachette, coll. «Hachette supérieur», 1994, p. 51.
34. Michel Butor, «La critique et l'invention», dans *Répertoire*, t. III, Paris, Éditions de Minuit, 1975, p. 18.

L'essai comme forme de réécriture : Cixous à Montaigne[1]

MIREILLE CALLE-GRUBER

> Ce qui a été est ce qui sera et ce qui s'est fait est ce qui se fera :
> il n'y a rien de nouveau sous le soleil.
> Qu'il y ait quelque chose dont on dise : vois ceci, c'est nouveau !
> Cela a déjà été aux siècles qui furent avant nous.
>
> *L'Ecclésiaste* 1, 9-10

L'écriture, c'est toujours *plus-d'une, plus-d'un*. Tout écrivain le sait d'expérience : il n'y a pas de création *ex nihilo*, mais un livre, qui ne court de page en page qu'accompagné par les livres de ses-autres-en-littérature ; un texte, *appelé* par d'autres textes, nourri des lectures de la bibliothèque, espace pour chacun d'interprétations propres. L'art va à l'art et s'inscrit dans les généalogies des formes à l'œuvre. Et par affinités de perception. Par quoi les récits du vécu, ou plutôt de la mémoire du vécu, en passant par les récits des autres, lesquels le déchiffrent, le passent au spectre, l'enrichissent comme autant de caisses de résonance et de lieux de découvertes.

Hélène Cixous, qui travaille *foncièrement* par réécriture — je veux dire que son sol, sa terre, ce sont les trésors des livres-autres : ce qui fait du récent récit de *Manhattan. Lettres de la préhistoire*[2], où le personnage principal est *la* Bibliothèque, une immense allégorie du Voyage

---

1. Ce titre fait référence au livre d'Hélène Cixous : *Benjamin à Montaigne*, Paris, Galilée, 2001. Où «Montaigne» désigne à la fois un lieu (le Château de Montaigne) et le signataire d'une œuvre. Mais ce titre indique aussi, déjà, que les questions de réécriture débordent le cadre de la diachronie.
2. Hélène Cixous, *Manhattan. Lettres de la préhistoire*, Paris, Galilée, 2002.

d'écrivain[3] —, Hélène Cixous qui travaille donc par déplacement, condensation, expansion nouvelle (où l'on reconnaît également le processus analytique freudien) a fait de la réécriture, en outre, un véritable motif. Le leitmotiv du principe génésique en littérature. Ce qui n'est pas sans incidence, on le verra, sur le ton singulier ni sur l'indécidable genre de ses narrations.

Avant de prospecter quelques-unes des modalités de la démarche, rappelons les invocations de notre contemporaine à sa «parenté élective», à celles et ceux qui parlent des langues différentes mais avec des accents proches, à ceux et celles que hantent le Poème, le différentiel poétique.

Ce qui me lie à ma parenté élective, qui me tient dans l'attirance de mes guides spirituels, ce n'est pas la question du style ni des métaphores, c'est ce à quoi ils pensent sans arrêt, l'idée du feu, sur laquelle nous gardons un silence complice, afin de ne pas cesser d'y penser. Aucune complaisance. Seulement l'aveu de la peur du feu. Et la compulsion d'affronter la peur[4].

Entre eux, donc, il y va du désir, de l'énergétique pulsion qui fait qu'écrire «l'idée du feu» c'est, à tous les sens, passer *l'épreuve* : de la consumation des forces, du dépôt des traces, de l'épure. L'œuvre, d'emblée, se désigne excessive, prométhéenne, mouvement de transmission, prise dans l'héritage de la passion de lecture et d'écriture. Débordante débordée, telle est la venue de l'écriture.

Sans Shakespeare avec Poe, d'abord, et aussitôt sans Homère, sans : La Bible-Ancien Testament, Kleist, Kafka, Dostoïevski et par la suite sans : Clarice Lispector, Marina Tsvetaïeva avec Anna Akhamatova, sans Thomas Bernhard avec Ingeborg Bachmann, sans Nelly Sachs et … je n'aurais pas pu vivre[5].

Ce rapport de don et de dette de reconnaissance, où se tissent les fils du texte et s'engage la langue de la pensée, place la littérature à l'enseigne de la réécriture, la maintient au moment toujours renouvelé de *la naissance de l'écriture* : où la réécriture apparaît comme le moyen de se tenir,

3. Le colloque qui vient de se tenir à la Bibliothèque nationale à Paris au titre de *Genèses Généalogies Genres. Autour de l'œuvre d'Hélène Cixous* (22-24 mai 2003) à l'occasion de la donation par l'écrivain de ses manuscrits à la BnF, ce colloque où Jacques Derrida, dans sa conférence d'ouverture, convoquait, avec «les génies», «les secrets de l'archive», est en quelque sorte façon de boucler la boucle du jeu des surexpositions de la Littérature (*Genèses Généalogies Genres*, Mireille Calle-Gruber et Marie Odile Germain [dir.], Paris, Galilée/BnF, à paraître, automne 2004).

4. Hélène Cixous, dans Mireille Calle-Gruber et Hélène Cixous, *Hélène Cixous, photos de racines*, Paris, Éditions des femmes, 1994, p. 35 (*Carnets*).

5. Hélène Cixous, *L'ange au secret*, Paris, Éditions des femmes, 1991, p. 154.

inépuisablement, aux commencements. «Je veux les livres encore immondes, balayés par les vents, le feu prend de tous côtés[6]…» Ainsi conçue, la réécriture fait injonction : écrire est urgence, risque, émulation ; l'œuvre advient dans un espace intersidéral et interlittéral qui a «les livres pour étoiles[7]» et fonctionne par puissance d'aimantation. Tabler sur la réécriture, ici, c'est exhausser les forces généalogiques et génésiques de la littérature.

Pourquoi entre tous — outre les compagnonnages nommés par Hélène Cixous dans *L'ange au secret* (*supra*), outre, on le sait, que *Le troisième corps*[8] est réécriture de Freud et de Kleist[9], que *Les commencements*[10] ne va pas sans Klee et Uccello, *Or. Les lettres de mon père*[11] pas sans les lettres de Kafka, ni *Manhattan* sans *Amerika* de Kafka, ni *Les rêveries de la femme sauvage*[12] sans Rousseau, ni... ni... et... etc. — entre tous, pourquoi ai-je choisi ici de parler de l'attelage avec Montaigne ? Peut-être parce qu'il est le plus constant et sans doute le plus souvent explicité :

> «Au moins (disait Montaigne mon tiers le plus antique et le plus nécessaire) devroit notre condition fautière nous faire porter plus modérément et retenuement en nos changements.»
> En vérité si nous n'étions pas toujours à oublier à quel point nous sommes fautiers, nous ne serions pas si couramment «faux tiers». J'aime mon tiers à la folie et chacun de ses mots également. Parce qu'il n'est pas un seul mot de lui qui ne remue cinq cents fois en même temps : dis «fautière», tu entendras : faut tiers, faux tiers, faute hier, faut hier, faux témoin, vrai témoin, faut faux, faux faute, faux hier vrai demain... C'est pour cela que ce mot nous enchante[13].

Il importe de relever dans ces notes, que la réécriture à l'enseigne de Montaigne n'est, pour Hélène Cixous, ni une affaire de double ni une affaire d'identification, mais question du *tiers*, c'est-à-dire élément de *réflexion dans la distance*, de liberté d'espacements (et le jeu de coupes des signifiants est ici éloquent), de travail par la bande où les mots de l'autre-en-littérature font fonction de «bande de billard» retournant autrement la langue. De façon emblématique, le lieu commun est lieu en défaut : c'est la «condition fautière» qu'est la condition humaine. La réécriture

6. *Ibid.*, p. 226.
7. Hélène Cixous, *Le livre de Prométhéa*, Paris, Gallimard, 1983, p. 232.
8. Hélène Cixous, *Le troisième corps*, Paris, Grasset, 1970.
9. Mireille Calle-Gruber, *Du café à l'éternité*, Paris, Galilée, 2002, *cf.* notamment p. 153-187.
10. Hélène Cixous, *Les commencements*, Paris, Grasset, 1970.
11. Hélène Cixous, *Or. Les lettres de mon père*, Paris, Éditions des femmes, 1997.
12. Hélène Cixous, *Les rêveries de la femme sauvage*, Paris, Galilée, 2000.
13. Hélène Cixous, dans *Hélène Cixous, photos de racines*, *op. cit.*, p. 25.

s'affirme ainsi comme énergétique de la faute et de l'écart. Et littérature et philosophie vont du même pas.

Mais il y a davantage. J'ai choisi ici l'attelage avec Montaigne parce qu'il donne la *forme* congéniale de l'écriture des co-naissances et des recommencements : à savoir l'*essai*, cette forme hors genres capable de les accueillir tous, et certains enjeux esthétiques et éthiques qui s'attachent, pour Montaigne, à cette pratique.

De la tentation : voler à Montaigne le feu de l'exercitation

Plutôt qu'une catégorie littéraire, *essai* désigne au xvɪᵉ siècle une méthode, un cheminement intellectuel : l'expérience de soi dans la réflexion, « soi » « toujours en apprentissage et en épreuve[14] ». Par quoi, s'essayer, c'est le contraire de se résoudre : « Si mon âme pouvait prendre pied, je ne m'essaierais pas, je me résoudrais » (III, 2, p. 26).

C'est dire qu'avec Montaigne, *essai* s'entend de tout son poids de synonymes (essai, du latin *exagium*, c'est d'abord : pesée, poids). Son spectre sémantique est large : exercice, prélude, épreuve, tentative, tentation ; mais aussi : risquer, peser, supputer, entreprendre, prendre son élan. « Essai » ne signifie donc pas un résultat enregistré, mais « un processus qui s'écrit[15] » ; il vise à « être à soi », « se r'avoir de soi » ou « s'avoir » (*De la solitude*, I, 39). C'est un « essai de jugement » qui requiert une passivité tâtonnante : « Si c'est un sujet que je n'entende point, à cela même je l'essaye... Je me tiens à la rive » (I, 50, p. 437), et cette épreuve de l'inconnu est épreuve de soi-même en vue de connaître sa force et sa faiblesse, ses « facultés naturelles » dit Montaigne, « de quoi c'est ici l'essai » (I, 26, p. 214).

Telles sont les formes de l'informe, de l'écriture en gésine qu'Hélène Cixous adopte à son tour jusqu'au détail du travail dans la langue : ainsi *Savoir*[16], qui est récit du défaut de l'œil et des puissances-autres que génèrent la myopie puis la non-myopie, éprouvant par suite l'exercice

---

14. Michel de Montaigne, *Essais* (1ʳᵉ édition complète posthume 1595) dans *Œuvres complètes*, éd. Albert Thibaudet et Maurice Rat, Paris, Gallimard, coll. « Bibliothèque de la Pléiade », 1969, III, 2, p. 26. Désormais, toutes les références aux *Essais* sont dans le texte (livre, chapitre, page).

15. Hugo Friedrich, *Montaigne*, trad. Rovini, Paris, Gallimard, 1968 [1949], p. 362 : « [...] un processus qui s'écrit, exactement comme la pensée, qui parvient ici à l'épanouissement spontané en s'écrivant. »

16. Hélène Cixous, *Savoir*, dans Hélène Cixous et Jacques Derrida, *Voiles*, Paris, Galilée, 1998.

d'étrangèreté à soi, *Savoir* rejoue, à l'exemple de Montaigne, les fluctuants degrés du *s'avoir*, par le voir, ça voir, le non-voir, le ne-pas-non-voir. Le parti pris de la « vue oblique[17] » (II, 11, p. 202), le vagabondage du style et de l'esprit[18], c'est-à-dire de l'esprit grâce au style, permettent à Hélène Cixous héritière de Montaigne de peindre tous les passages de l'être à son insu et d'avoir recours, pour ce faire, à « l'allure poétique », « la bigarure », « les nuances », écrit Montaigne, bref, d'avoir recours à la littérature en ce qu'elle est un révélateur : « Je peins principalement mes cogitations, sujet informe, qui ne peut tomber en production ouvragère. À toute peine le puis-je coucher en ce corps aéré de la voix » (II, 6, p. 539). Avoir recours, autrement dit, au devenir-œuvre, son chantier, ses germinations, ses tentatives. Montaigne : « Toute cette fricassée […] n'est qu'un registre des essais de ma vie » (III, 13, p. 369) ; et Hélène Cixous de reformuler en exigeant que le « roman [n']oublie [pas] ses décombres[19] ».

Il est un autre mot, synonyme d'*essai*, que Montaigne affectionne et qui nomme le principe même de l'écriture génésique : *l'exercitation*, titre du chapitre 6 du Second Livre des *Essais*, dont Hélène Cixous reprend la magistrale leçon lorsqu'elle explore les spectres de l'être, ses absences, ses hantises, les vies et les morts qui font la traversée d'une vie. Il importe de s'arrêter un instant à la lecture des *Essais* afin de mieux cerner les enjeux de la réécriture.

On s'en souvient, *De l'exercitation* s'efforce de « s'apprivoiser à la mort » « en s'en avoisinant » (II, 6, p. 537). Montaigne en ces pages fait réflexion d'une chute de cheval et de l'évanouissement où il s'est trouvé. Or, voilà que l'écriture devient caisse de résonance de ses états insus. Tout un nuancier lexical et syntaxique opère ainsi le passage au spectre du sujet-de-l'écriture, donne à lire son « anatomie sèche » : « Je m'étale entier : c'est un skeletos où, d'une vue, les veines, les muscles, les tendons paraissent, chaque pièce en son siège » (II, 6, p. 539).

Donnant du temps à la scène de nos souffrances et point d'ordre établi si ce n'est celui de l'« allure si vagabonde que celle de notre esprit » (II, 6, p. 537), l'essai fait des captations inouïes. Par exemple, et voici les magnifiques formulations de Montaigne : « quelque déloge-

---

17. Michel de Montaigne, *De la cruauté* (II, 11, p. 202) : « Mes fantaisies me suivent, mais parfois c'est de loin, et se regardent, mais d'une vue oblique. »

18. Michel de Montaigne : « Mon style et mon esprit vont vagabondant de même » (III, 9, p. 262).

19. Hélène Cixous, *L'ange au secret, op. cit.*, p. 226. « Je veux les laves, l'ère qui bouillonne avant l'œuvre » (*ibid.*, p. 225).

ment de l'âme» (II, 6, p. 528), «les mouvements en nous qui ne partent pas de notre ordonnance» (II, 6, p. 534), ces «passions qui ne nous touchent que par l'écorce» (II, 6, p. 535). Et nous ne savions pas que nous étions dotés de «l'ouïe trouble et incertaine qui semble ne donner qu'aux bords de l'âme» (II, 6, p. 534), d'«une vue si trouble, si faible et si morte» (II, 6, p. 531). Là se tient la vie lorsqu'elle ne tient «plus qu'au bout des lèvres» (II, 6, p. 532) ; là la faculté de «sentir comme en songe» (II, 6, p. 534).

Davantage : dans le récit de ce témoignage de la pensée qui s'efforce de pénétrer «les profondeurs opaques de ses replis internes» (II, 6, p. 537), de dire «nuement par des paroles» (II, 6, p. 539), il y a le souci de ne pas oublier l'oubli de l'accident, d'être attentif à la «mémoire lorsqu'elle vient à s'entrouvrir» (II, 6, p. 536), et au risque inouï de «remourir encore un coup mais d'une mort plus vive» (II, 6, p. 536). Oxymore, paradoxe, contradiction : autant de figures du trouble, du double, de la double appartenance. La description de la syncope par Montaigne est un chef-d'œuvre poétique :

> Je ne savais pourtant ni d'où je venais ni où j'allais ; ni ne pouvais peser et considérer ce qu'on me demandait : ce sont des légers effets que les sens produisaient d'eux-mêmes, comme d'un usage ; ce que l'âme y prêtait, c'était en songe, touchée bien légèrement, et comme léchée seulement et arrosée par la molle impression des sens. (II, 6, p. 535)

C'est à cette enseigne qu'Hélène Cixous écrit, tantôt dans la langue même de Montaigne, regardant «nuement» le «monde nu» à «l'œil nu» afin de peindre les «événements intérieurs, les prendre au berceau, à la source[20]», tantôt par translations : «Ce voir, je ne puis l'atteindre qu'à l'aide de l'écriture poétique. "Voir" le monde nu, c'est-à-dire presque é-nu-mérer le monde, je m'y applique avec l'œil nu, obstiné, sans défense, de ma myopie[21].» C'est ainsi qu'elle fait venir sur la page ses spectres et revenants : «nous rencontrons autrement dans l'autre monde, plus nuement[22]» ; demandant à l'écriture des passages à l'étranger : «Fantôme que je suis, je prends des photos fantômes de fantômes[23]» ; faisant du livre le livre des revenants : «Ah si on pouvait mourir plus d'une fois. Elle aurait bien fait un aller-retour[24].» «Revenance» et «partance» sont les noms de ces plusieurs-mourirs chez Hélène Cixous qui se

---

20. Hélène Cixous, dans *Hélène Cixous, photos de racines, op. cit.*, p. 13 (*Carnets*).
21. *Idem.*
22. Hélène Cixous, *Jours de l'an*, Paris, Éditions des femmes, 1990, p. 162.
23. *Ibid.*, p. 79.
24. *Ibid.*, p. 265.

réclame, comme Montaigne, d'écrire en songe, entre veille et sommeil (telle la syncope du livre, le « Venant » non venu, à l'entrée des *Rêveries de la femme sauvage*), d'écrire au-delà de l'écriture, de ne pas cesser de ne pas écrire. C'est dans la même étoffe de langue — et de façon — qu'elle revendique l'énergétique des fautes d'orthographe : « Je fais mes fautes exprès. Qui ne les hait pas me suive[25] » qui sont les jeux du signifiant, comme lui revendique d'écrire « à droit et à feinte » (III, 5) et d'« arrêter l'attention du lecteur [...] par mon embrouillure » (III, 9, p. 264).

Davantage : la métaphore de l'œuvre en travail, c'est Montaigne qui la lui donne lorsqu'il affirme : « Si j'avais à choisir [ma mort] ce serait, ce crois-je, plutôt à cheval que dans un lit » (I, 39). Hélène Cixous, lorsqu'elle peint Rembrandt, et avec lui se peint elle-même, s'inscrit exactement dans l'allégorique posture de l'exercitation : « Un jour je finirai par peindre *à cheval sur mon propre cadavre*[26]. » Et c'est bien à cheval sur les autres textes qu'elle se peint écrivant, et à cheval sur son propre cadavre qu'elle fait arriver à la conjugaison verbale des accidents par télescopage et syncope. Comme celui-ci dans *Or. Les lettres de mon père*, écrites avec les lettres de Kafka : « [...] entre les dates, je fus née, je naquis[27]. »

Ainsi dans *Or*, qui est le livre du père revenant *post mortem*, se déroule le récit du faillir-naître-ne-pas-naître sur le schème du faillir-mourir-ne-pas-mourir de l'exercitation de Montaigne. Par tressage du motif du *post mortem* et du motif du *non-naître*, la venue à l'existence tient du passage entre deux passés, passé antérieur et passé simple — pas si simple et pas si passé. Marquant le battement d'un intervalle sans nom (je fus né / je naquis), la narration dès lors *entre dans la syncope*, en sonde replis, moments, différences, donnant étendue et durée à ce que l'on croit *sans* : « [...] je fus sur le point, en tant que possibilité ultérieure à cette date de naître, de n'exister jamais. Mon frère non plus ne naiss*ait* pas. Le mariage n'*avait* pas lieu[28]. » À cheval sur le cadavre de sa naissance, projetée, refusée, renoncée (par le fiancé menacé de tuberculose), la narratrice fait le récit du mort-né (je fus né) *et* du nouveau-né — le re-nouvellement né — le rené toujours. Et voilà que ce qui est d'ordinaire considéré comme perte de conscience, syncope, non-être, constitue, ainsi passé au crible des temps de l'écriture, le tain d'un miroir singulier où affleure l'anatomie d'un sujet à syncopes.

25. Hélène Cixous, *Or. Les lettres de mon père*, *op. cit.*, p. 28.
26. Hélène Cixous, *Jours de l'an*, *op. cit.*, p. 19 (je souligne).
27. Hélène Cixous, *Or. Les lettres de mon père*, *op. cit.*, p. 27.
28. *Ibid.*, p. 91 (je souligne).

Car Montaigne le note avec acuité :

> Nos souffrances ont besoin de temps, qui est si court et si précipité en la
> mort qu'il faut nécessairement qu'elle soit insensible. Ce sont les appro-
> ches que nous avons à craindre ; et celles-là peuvent tomber en expérience.
> Plusieurs choses nous semblent plus grandes par imagination que par
> effet[29].

Et ce que Montaigne n'aura cessé de mettre en œuvre dans les scènes
de ses récits où « À faute de mémoire naturelle, [il] en forge de papier »
(III, 13, p. 386) — car, dit-il « Mon métier et mon art, c'est vivre » (III, 6,
p. 539), et avoue sans fausse modestie : « [...] je me pare sans cesse, car je
me décris sans cesse » (*ibid.*, p. 538) —, Hélène Cixous dans son sillage
en fait un principe de saisie de la « réalité vivante, non refoulée[30] » :

> C'est ce que l'écriture essaie de faire : le compte rendu de ces événements
> invisibles — on entendrait la rumeur d'une quantité de messages qui
> s'expriment autrement. [...] C'est l'art de l'écriture ou bien encore l'art du
> théâtre que de savoir faire ainsi surgir [...] tout ce qui n'aura pas été pro-
> noncé mais qui aura été énoncé par d'autres moyens que la parole — et
> qui peut être, ensuite, pris dans la toile de l'écriture[31].

Réécrire sans se couper le nez

Il faudrait suivre avec soin le détail des proximités et des distances qui
se jouent, variablement, dans la réécriture. Je ne retiendrai, ici, qu'un
cas d'exportation lointaine du mot de Montaigne par Hélène Cixous.
C'est, tiré de *De l'exercitation* encore, le verbe « énaser », lequel, dans sa
traduction en français moderne « couper le nez » et dans le contexte
cixousien, devient emblématique d'un rapport à la réécriture qui n'est
ni de soumission ni de réduction.

Pour se défendre contre ses détracteurs de l'accusation de vantar-
dise qu'on attache au récit autobiographique, Montaigne trouve le mot
« énaser » — je dis « trouve » car c'est bien d'un trope qu'il s'agit.

---

29. Michel de Montaigne, *Essais*, II, 6, p. 529. Ernst Jünger, en faisant la différence
entre « le mourir » et « la mort », s'attache à marquer la même distinction : « [...] on peut
faire l'expérience du mourir (*das Sterben*), mais non de la mort. » Ernst Jünger, « Über die
Linie » (1950). Ce texte est paru d'abord dans un recueil en hommage à Martin Heidegger
pour son 60ᵉ anniversaire (*Anteile*, Frankfurt/Main, Klostermann, 1950). Je cite d'après la
republication dans les *Œuvres complètes* d'Ernst Jünger : *Werke*, t. 5, *Essays I*, Stuttgart, Klett,
p. 245-289 ; ici, p. 255.
30. Hélène Cixous, dans *Hélène Cixous, photos de racines*, *op. cit.*, p. 57.
31. *Ibid.*, p. 57.

La coutume a fait le parler de soi vicieux, et le prohibe obstinément en haine de la ventance qui semble toujours être attachée aux propres témoignages. Au lieu qu'on doit moucher l'enfant, cela s'appelle l'énaser. *In vitium ducit culpæ fuga.* (II, 6, p. 538)

Ravivant l'énergie métaphorique, la citation de l'*Art poétique* d'Horace : « La peur d'une faute nous conduit au vice », souligne une détermination qui relève chez Montaigne tout ensemble du choix poétique et du choix éthique : la forme de l'essai requiert un parler-de-soi sans réserve c'est-à-dire sans complaisance ni ménagement. C'est à ce prix que l'essai sera forme vertueuse. Ce qui requiert un tour de réécriture, car, transposant le proverbe latin en langue vulgaire, Montaigne ravive la charge métaphorique par le déplacement de l'image figée (« moucher l'enfant ») vers l'hyperbole « énaser ».

Dans *Le jour où je n'étais pas là*, Hélène Cixous reprend le geste : Montaigne lui donne cette fois non pas « le mot » (comme pour « nuement » par exemple) mais la puissance d'essaimage et de déplacement qu'il comporte — ce qui va lui permettre de séminer autrement et de tisser la propre toile d'écriture.

C'est au motif du « non-naître », sur la variante à présent de « l'être né sans être encore né » désignant l'enfant mongolien, que se développe une section intitulée : « UN NOUVEAU NEZ ?[32] »

« Fais-toi couper le nez » dit ma mère [...]. Et je faillis. Et j'ai failli. Je venais d'avoir quatorze ans et je traduisis mon nez en chose à couper, en élément honteux [...].
    Finalement j'épargnai mon nez que j'aurais bien voulu couper, mais je n'osai pas, car un nez coupé ne repousse jamais [...] ce nez-là, mon héritage, mon père, je ne veux pas m'en séparer, le spectre de mon père me hantait [...][33].

Par calembour — nouveau-né / nouveau nez — et vagabondage signifiant — faux nez / faux né —, arrivent des vérités sur la page, c'est-à-dire des vices terribles. Car couper ou ne-pas-couper-le-nez devient la question emblématique de l'Antisémitisme (« *den Nasenjosef* », « le Josef-des-nez[34] »), de l'épuration ethnique et génétique nazie, de l'euthanasie du mongolien, du chien à trois pattes... Tout se tient dans le tissage fil à fil de l'écriture.

---

32. Hélène Cixous, *Le jour où je n'étais pas là*, Paris, Galilée, 2000, p. 57-63. Les majuscules sont dans le texte.
    33. *Ibid.*, p. 59.
    34. *Ibid.*, p. 61 (italiques dans le texte).

Et en toutes conséquences, cette «question de nez» pointe aussi la question de la réécriture. Car si le texte de Montaigne fait ici activement substrat sans être mentionné, et induit et travaille le filet langagier de Cixous, sa nomination n'est que différée, quarante pages plus loin, et intervient, refoulé retourné, dans une autre scène du «récit juif»:

> — Béni soit Montaigne qui ne pouvait supporter de voir égorger une poule !
> — Ça m'étonnerait qu'il ne l'ait pas mangée quand même, closse ma mère.
> [...]
> — Chez les Juifs la poule ne souffre pas. Ma mère ment et se croit[35].

Ce que revendique ainsi Hélène Cixous par ce dispositif de différé dit-et-pas-dit : il importe de réécrire grâce au génie des œuvres précédentes, certes, mais il importe non moins de garder son propre nez, c'est-à-dire d'imprimer le tissage textuel de sa composition et de sa complétion propres. Réécrire, mais sans s'«énaser».

Il s'agit là, par suite, de prendre en compte une double généalogie : celle de ses-autres-en-littérature qu'Hélène Cixous invoque — et Montaigne aussi, modestement, écrivant qu'il suffit qu'il «tourne les yeux vers les siècles passés [...] [pour] baisse[r] les cornes, y trouvant tant de milliers d'esprits qui [m]e foulent aux pieds» (II, 6, p. 540) ; celle de ses familles et de son histoire (Cixous : «J'ai craint de me couper mon père[36]»). En somme, il s'agit de réécrire en tiers sujet et non pas dans l'identification du double.

Un alphabet pythique

On le constate donc : Hélène Cixous ne fait pas de citations ; et pas davantage ne contrefaçonne ni ne contrefait Montaigne. Elle prend. Elle prend *par* Montaigne — qui est un lieu, qui *donne lieu* autant que nom propre. Qui est une Tour-Librairie pleine de tours d'écriture.

---

35. *Ibid.*, p. 103-105. Hélène Cixous fait ici allusion au chapitre «De la cruauté» (II, 11) où Montaigne écrit : «Je hais entre autres vices cruellement la cruauté, et par nature, et par jugement, comme l'extrême de tous les vices. Mais c'est jusques à telle mollesse que je ne vois pas égorger un poulet sans déplaisir, et ois impatiemment un lièvre sous les dents de mes chiens, quoique ce soit un plaisir violent que la chasse.»
36. Hélène Cixous, *Le jour où je n'étais pas là, op. cit.*, p. 59. Le télescopage syntaxique (me couper *de* mon père) dit sous la forme hyperbolique de l'amputation le risque de devenir étrangère à sa généalogie.

Cixous défaçonne Montaigne. Elle en défaçonne la langue pour en faire l'alphabet pythique de son idiome d'écrivain[37].

On comprend que, de ce fait, elle préfère les «non-romans de Stendhal» ou de Lispector[38], les journaux, les lettres, les cahiers qui sont autant d'espaces de l'«exercitation», des écrits de la dépossession en quelque sorte, plus aisés à défaçonner qu'une œuvre à forme architecturée.

Pour exemple de ce défaçonnage du texte de Montaigne et du retissage en alphabet cixousien, je propose la lecture d'un passage de *Benjamin à Montaigne. Il ne faut pas le dire*[39]. La composition du livre monte en fait, en construction gigogne, trois scènes récurrentes : la scène de la cuisine juive où mère tante fille s'affrontent dans des propos quotidiens ; la scène du Voyage de la narratrice à Montaigne («nous ne Nous remettons pas de notre voyage à Montaigne[40]») ; la scène du Voyage de Montaigne à Rome, Montaigne qui ne «s'est pas remis complètement de s'être rencontré [...] sur le point qu'on défaisait Catena, pourtant un voleur insigne, c'était le 11 janvier 1581[41]». Voici quelques fragments qui permettent de suivre comment les récits passent sans transition dans la langue de Montaigne. Le livre a commencé dans l'idiome des deux vieilles, repris par la narratrice :

«Ferme cette porte!» avait crié Selma à Jennie [...]
«*Ferm'cet'port'*» voilà comment ma mère avait commencé la journée[42].

Les trente premières pages sont ainsi consacrées au récit des deux vieilles, juives, revenant d'Osnabrück où la ville a organisé une commémoration en l'honneur de «ses» Juifs déportés et exterminés. Après quoi, par un saisissant raccourci liant les trois registres narratifs, voilà que la description réécrite du voyage de Montaigne[43] trans-*forme* le tableau de l'exécution de Catena en une représentation allégorique de la cuisine de Selma et Jennie. Et réciproquement : la comédie de la

---

37. Sur le mode de la comédie, les personnages des deux vieilles, mère et grand-mère, ont pour «alphabet pythique» les interjections en langue allemande : «Ach! Was! Quatsch! Pfui! Ne! So! Weh!», *Ibid.*, *passim*.

38. Hélène Cixous, dans *Hélène Cixous, photos de racines*, *op. cit.*, p. 79. Voir aussi : «Quand je lis, je cherche les carnets du livre», *ibid.*, p. 66 (*Carnets*).

39. Hélène Cixous, *Benjamin à Montaigne. Il ne faut pas le dire*, *op. cit.*

40. *Ibid.*, p. 34.

41. *Idem.*

42. *Ibid.*, p. 11 (italiques dans le texte).

43. Michel de Montaigne, *Journal de voyage*, éd. Fausta Garavini, Paris, Gallimard, coll. «Folio», 1983.

cuisine se trouve magnifiée par le montage des réécritures, lesquelles lui confèrent une dimension tragique, prophétique de l'humaine condition.

Les deux personnages ne se remettent pas de ce voyage, pensais-je, qui les avait changées en personnages allemands d'un autre âge, elles n'arrivent pas à en revenir malgré le trajet, malgré la grande colère familière de mon frère elles traînaient encore en arrière, elles n'arrivaient pas à arriver malgré la catastrophe des valises, elles restaient debout dans la cuisine, assieds-toi dit ma mère, et ma mère s'assit enfin alors ma tante aussi. Fais du café.

Nous non plus pensais-je, nous ne Nous remettons pas de notre voyage à Montaigne Nous non plus nous ne sommes pas encore arrivés à en revenir, nous-mêmes nous sommes retenus dans ce voyage en captivité malgré notre retour dans nos Maisons habituelles, pensais-je en faisant le café pour les deux vieilles sœurs assises inhabituellement, il y a donc des voyages dangereux.

Montaigne non plus ne s'est pas remis complètement de s'être rencontré un jour à Rome [...][44].

À partir de là, nous sommes de plain-pied avec le récit de Montaigne. Suivons-le un moment en ces pages du *Journal de voyage* :

L'onzième de janvier, au matin, comme M. de Montaigne sortait du logis à cheval pour aller *in Banchi*, il rencontra qu'on sortait de prison Catena, un fameux voleur et capitaine des bandits [...]. Après qu'il fut étranglé on le détrancha en quatre quartiers. Ils ne font guère mourir les hommes que d'une mort simple, et exercent leur rudesse après la mort. M. de Montaigne y remarqua ce qu'il a dit ailleurs, combien le peuple s'effraie des rigueurs qui s'exercent sur les corps morts ; car le peuple, qui n'avait pas senti de le voir étrangler, à chaque coup qu'on donnait pour le hacher, s'écriait d'une voix piteuse[45].

Et comme obsédée, la narration aussitôt répète, fait la scène une seconde fois, « le quatorzième jour de janvier » :

Ce même jour je vis défaire deux frères anciens serviteurs du secrétaire du Castellan [...]. On les tenailla, puis coupa le poing [...], leur fit mettre sur la plaie des chapons qu'on tua et entrouvrit soudainement. Ils furent défaits sur un échafaud et assommés à tout une grosse massue de bois et puis soudain égorgés[46].

Hélène Cixous reprend le texte de Montaigne en écho et surtout en faisant jouer la distance narrative, tantôt je, tantôt double, tantôt tiers — distance qui est une caractéristique constitutive du « sujet » de l'essai

44. *Ibid.*, p. 34.
45. *Ibid.*, p. 197-198.
46. *Ibid.*, p. 198-199.

comme exercitation. On sait, notamment, que le *Journal* est un texte hybride, dont la première partie est écrite par un compagnon (secrétaire ?) de Montaigne désigné pour cette tâche (jusqu'au premier séjour à Rome[47]). Dans le jeu, qu'elle rejoue, de cette altérité plurivoque, la voix de la narratrice-Cixous peut s'introduire admirablement. Voici le texte de la réécriture :

> [Catena] on l'étrangla, sans aucune émotion de l'assistance, pas quand on vint à le mettre en quartiers, le bourreau ne donnait coup que le peuple ne suivit d'une voix plaintive et d'une exclamation, et moi aussi je gémissais à ce récit chaque fois et à chaque coup comme si chacun prêtait son sentiment à cette charogne, charognes que nous nous soupçonnons d'être sous la face, et comme si nous ne supportions pas aucun de nous d'être dégradés morts en l'animal qui n'a rien fait de mal[48].

On peut suivre clairement comment les mots de Montaigne donnent à Hélène Cixous le fil qui va tisser son leitmotiv : celui de la poule égorgée, de la cuisine juive, du souffrir-à-l'autre (*cf.* ci-dessus *Le jour où je n'étais pas là*). Car le vocabulaire de la boucherie (« détrancher en quartiers », « hacher », « égorger ») ainsi que le récit que fait Montaigne des « chapons qu'on tua et entrouvrit soudainement » sur la plaie des suppliciés, se trouvent « retraduits » en phrase cixousienne qui en fait la lecture : « être dégradés morts en l'animal qui n'a rien fait de mal ». Et c'est cette phrase qui lui donne la suivante, nouvelle translation, où elle rejoint le thème jusque-là majeur de « Selma et Jennie retour d'Osnabrück » : « Montaigne revient inlassablement sur cette rencontre où l'on défaçonnait Catena, *le changeant au-delà de la mort simple en viande de cuisine*[49].

Par translations successives, le plain-pied fonctionne de nouveau, à rebours : nous n'avions jamais quitté la cuisine de Selma, ou la cuisine de « ma mère ». Nous sommes toujours dans le récit de la « condition fautière ».

Il y a davantage dans le dépli de ces processus de réécriture : car on voit ainsi entrer mot après mot dans la cuisine du texte le défaçonnage

---

47. Montaigne continue la rédaction de ce *Journal de voyage* après le départ du premier scripteur. À partir de son séjour aux Bains de Lucques, jusqu'à ce qu'il revienne en territoire français, Montaigne écrira même son *Journal* en italien. Fausta Garavini souligne à juste titre l'importance de cette hybridité. L'ignorer, ce serait ignorer « ce qui se joue d'important du "sujet Montaigne", celui que nous croyons regarder en direct sur le tain des *Essais*, dans ces miroirs successifs et affrontés de l'*il* et du *je*, du *moi* et de l'*autre* ». Fausta Garavini, « Introduction » à Montaigne, *Journal de voyage, op. cit.*, p. 9.

48. Hélène Cixous, *Benjamin à Montaigne. Il ne faut pas le dire, op. cit.*, p. 34-35.

49. *Ibid.*, p. 35 (je souligne). On se souvient que « la mort simple » est l'expression de Montaigne (*cf.* citation de la note 45).

de la langue de Montaigne par la langue de Cixous. On se voit entrer dans la *cuisine du texte*.

« Il ne faut pas le dire » : tel est le sous-titre du livre. Placé en couverture, « Il ne faut pas le dire » dit : que du secret il y en a. Qu'entre autres, au plus secret, nous sommes dans les secrets de fabrication de la littérature.

Récits des origines chez quelques écrivaines de la francophonie

CHRISTIANE NDIAYE

Dans une réflexion sur les rapports entre mythe et histoire, culture et identité, Édouard Glissant fait le constat suivant : « Aujourd'hui, nous avons à concilier l'écriture du mythe et l'écriture du conte, le souvenir de la Genèse et la prescience de la Relation, et c'est là une tâche difficile[1]. » Cette tâche difficile, plusieurs des écrivaines francophones s'y sont attelées, en pratiquant la réécriture et la déconstruction de récits des origines. Pour les femmes de la francophonie, les récits des origines sont en effet doublement problématiques. Comme le souligne Édouard Glissant, le rôle principal des mythes fondateurs est de « consacrer la présence d'une communauté sur un territoire, en rattachant par filiation légitime cette présence, ce présent à une Genèse, à une création du monde » (*IPD*, 47). Or, cette légitimation se fait par exclusion de l'Autre et produit des relations conflictuelles avec ceux qui n'appartiennent pas à cette communauté « élue ». Si ces textes fondateurs peuvent provoquer des conflits entre cultures et sociétés, que penser de leur effet sur les relations entre hommes et femmes ? Car l'Autre (celui qui n'appartient pas au peuple élu des dieux) se trouve aussi être la femme, dans bien des cas. Nous proposons donc ici une réflexion sur quelques textes d'écrivaines qui interrogent la « guerre des sexes » et les relations conflictuelles au sein de la famille en rapport avec les récits des origines : *C'est le soleil qui m'a brûlée* de Calixthe Beyala, *Pluie et vent*

1. Édouard Glissant, *Introduction à une poétique du divers*, Montréal, Presses de l'Université de Montréal, 1995, p. 48. Dorénavant désigné à l'aide du sigle (*IPD*), suivi du numéro de la page.

sur Télumée Miracle de Simone Schwarz-Bart, *Vaste est la prison* d'Assia Djebar et *Le livre d'Emma* de Marie-Célie Agnant[2].

Glissant distingue deux types de sociétés, les communautés « ataviques », anciennes, qui se fondent sur l'idée d'une Genèse (d'Asie, d'Afrique, d'Europe et d'Amérique, à l'époque précolombienne) et les cultures « composites » qui sont « nées de la créolisation, où toute idée d'une Genèse ne peut qu'être ou avoir été importée, adoptée ou imposée : la véritable Genèse des peuples de la Caraïbe, c'est le ventre du bateau négrier et c'est l'antre de la Plantation » (*IPD*, 28). Avant d'en arriver à une conscience historique, les communautés anciennes (ataviques) élaborent plusieurs types de récits des origines : genèses du monde, mythes de la fondation de la communauté, récits (mythes et contes) explicatifs de divers phénomènes naturels et sociaux, etc.

L'Histoire est donc réellement fille du mythe fondateur. Sur le chemin qui mène à elle le mythe fondateur sera accompagné, puis occulté, puis remplacé d'abord par les mythes d'élucidation, d'explication ou de mise en abîme des processus sociaux et des conditions d'environnement d'une communauté, ensuite par les contes et récits qui préfigurent l'Histoire et enfin par les romans, poèmes et textes de réflexion qui disent, chantent ou méditent celle-ci. [...] Pour ce qui est des sociétés où ne fonctionne pas de mythe fondateur, sinon par un emprunt — et je veux ainsi parler des sociétés composites, des sociétés de créolisation —, la notion d'identité se réalise autour des trames de la Relation qui comprend l'autre comme inférant. Ces cultures commencent directement par le conte qui, par paradoxe, est déjà une pratique du détour. Ce que le conte ainsi détourne, c'est la propension à se rattacher à une Genèse, c'est l'inflexibilité de la filiation, c'est l'ombre portée des légitimités fondatrices. Et quand l'oralité du conte se continuera dans la fixation de l'écriture, comme chez les écrivains de la Caraïbe et de l'Amérique latine, elle maintiendra ce détour étoilé qui déterminera une autre configuration de l'écrit, d'où l'absolu ontologique sera évacué. (*IPD*, 47-48)

Les textes à l'étude se situent manifestement dans cette écriture « du détour » des communautés composites qui cherche à détourner un « absolu » perçu comme étant incompatible avec le principe de la Relation des entités / identités différentes. La question posée par ces écrits

---

2. Calixthe Beyala, *C'est le soleil qui m'a brûlée*, Paris, Éditions J'ai lu, 1987 ; dorénavant désigné à l'aide du sigle (*SB*), suivi du numéro de la page. Simone Schwarz-Bart, *Pluie et vent sur Télumée Miracle*, Paris, Seuil, 1972 ; dorénavant désigné à l'aide du sigle (*TM*), suivi du numéro de la page. Assia Djebar, *Vaste est la prison*, Paris, Albin Michel, 1995 ; dorénavant désigné à l'aide du sigle (*VP*), suivi du numéro de la page. Marie-Célie Agnant, *Le livre d'Emma*, Montréal, Éditions du remue-ménage / Éditions Mémoire, 2001 ; dorénavant désigné à l'aide du sigle (*LE*), suivi du numéro de la page.

de femmes semble donc être analogue à celle que soulève l'identité des communautés composites, selon le postulat de Glissant :

> Le problème se pose de savoir *comment changer l'imaginaire*, la mentalité et l'intellect des humanités d'aujourd'hui de telle sorte qu'à l'intérieur des cultures ataviques les conflits ethniques cessent d'apparaître comme des absolus, et de telle sorte que dans les pays créolisés les conflits ethniques et nationalistes cessent d'apparaître comme des nécessités imparables. (*IPD*, 46 ; je souligne)

Si l'on transpose cette question sur ces textes de femmes, il apparaît qu'il s'agit effectivement de l'aspiration à un nouvel imaginaire, dans lequel les conflits qu'on cherche à «parer» ne sont cependant pas d'ordre ethnique ou nationaliste, mais plutôt immédiats et quotidiens : ce qui est en cause est un nouvel imaginaire des relations familiales et des relations de couple où la guerre (des sexes, des générations) n'apparaîtra plus comme inéluctable. Par analogie, l'on peut postuler que la «société des femmes» cherche à participer à l'élaboration de ce nouvel imaginaire des communautés composites afin de s'extraire d'une culture atavique (masculine) où «la notion d'identité se développera autour de l'axe de la filiation et de la légitimation», autour d'«une racine unique qui *exclut l'autre comme participant*» (*IPD*, 47 ; je souligne). Bref, l'on réécrit pour participer à la production d'un imaginaire dont on ne sera pas exclu, un imaginaire de la Relation où hommes et femmes, s'ils ne parlent pas le même langage, puissent au moins apprendre ou comprendre le langage de l'autre. Car une même question inquiète semble sous-tendre ces quatre textes, celle de Flore, la narratrice du roman d'Agnant : «Les hommes et les femmes ne parlent-ils plus le même langage ?» (*LE*, 47)

Pourquoi les étoiles ne s'unissent pas au soleil

Ou peut-être n'ont-ils jamais parlé le même langage… depuis les origines ? Chacun des quatre textes comporte à la fois le récit d'un amour malheureux ou impossible et des références à des récits des origines, un retour vers des origines lointaines qui traduit le désir de connaître la source (et donc la solution) de ces malheurs et de remonter au-delà, comme pour créer un monde neuf qui ne soit pas une «vallée de larmes». *C'est le soleil qui m'a brûlée* met en scène la situation désespérante d'Ateba, une jeune fille africaine de dix-neuf ans qui a perdu sa mère à neuf ans et qui évolue dans un univers de misère urbaine où les hommes ne cessent d'abuser des femmes. Le roman s'ouvre sur l'arrivée de Jean Zepp, un jeune homme qui loue une chambre chez la tante Ada et qui ne tarde pas à tenter de séduire Ateba. La jeune femme est vaguement attirée par Jean, mais cette relation devient tout de suite conflictuelle et ne mène à rien, sinon à un scandale provoqué par Ada qui décide, après une sortie d'Ateba avec Jean, de vérifier la virginité de sa « fille ». Autrement, les journées d'Ateba se passent dans la monotonie : elle s'occupe du ménage chez Ada en ressassant sans cesse les souvenirs de sa mère Betty ; elle assiste aux événements qui rassemblent les gens du quartier ; elle va voir son amie Irène, prostituée comme l'était Betty ; quand elle n'en peut plus, elle s'enferme dans sa chambre pour écrire aux femmes et, à l'occasion, à Dieu. Il se produit néanmoins un certain nombre d'incidents dramatiques dans ce roman : la « vérification de virginité », une invitation à prendre un verre qui finit en viol... L'histoire se clôt par une véritable catastrophe : à la suite d'un avortement ayant entraîné des complications, Irène meurt ; Ateba, dans un état de désespoir incontrôlable, se rend dans un bar qu'Irène avait l'habitude de fréquenter ; elle suit le premier venu (qui la prend pour une prostituée), cède à ses demandes, puis le tue[3].

Ce texte n'y va donc pas par quatre chemins : à l'origine des malheurs de la femme, il y a l'homme. De plus, comme pour justifier doublement le meurtre de l'homme que commet Ateba, le comportement abusif de l'homme est rattaché aux origines lointaines de la société humaine par deux références intertextuelles explicites au récit biblique. Le titre renvoie au verset 6 du premier chant du Cantique des Cantiques où sont cités les propos « justificateurs » que la femme aimée adresse à Salomon, voulant se faire accepter en terre étrangère : « Je suis noire et pourtant belle, filles de Jérusalem [...] / Ne prenez pas garde à mon teint basané : / c'est le soleil qui m'a brûlée. / Les fils de ma mère se sont emportés contre moi, / ils m'ont mise à garder les vignes. / Ma vigne à moi, je ne l'avais pas gardée ! » (SB, 4). Ces vers rendent compte d'une double contrainte imposée à la femme : elle doit travestir, nier son identité, faire semblant de n'être pas ce qu'elle est réellement (noire) pour être aimée ; par ailleurs elle se fait punir par ses frères pour s'être donnée à un homme sans être mariée. L'on voit que ces vers du cantique cités en exergue servent à introduire le thème principal (la sujétion des

---

3. Le développement qui suit reprend certains éléments présentés à partir d'une autre perspective dans un article précédent : Christiane Ndiaye, « Mouvances : du féminin et de l'africanité dans C'est le soleil qui m'a brûlée de Calixthe Beyala », Études francophones, vol. XIV, n° 1, 2000, p. 43-64.

femmes et l'abus dont elles sont victimes) et l'une des métaphores clefs du roman, le soleil.

En effet, Betty, la mère d'Ateba, et Irène, son amie, renoncent complètement à leur identité propre afin de plaire aux hommes et gagner leur amour... sans jamais y parvenir.

> Ce soir, Irène sortira. Une autre vie, un autre cycle, un autre cirque. Irène se perdra pour l'homme et se réincarnera. Fille de ministre ici, fille d'ambassadeur là, fille d'avocat et cousine du président de la République là-bas. À chaque aube une nouvelle tenue et l'identité sans cesse perdue et renouvelée à l'intérieur d'un élément invariable : le malheur. (*SB*, 99)

De même, lorsque Ateba se laisse aller à rêver un court moment au prince charmant, sa rêverie achoppe sur un constat d'échec.

> L'homme veut devenir l'ami de la femme... Il va falloir unir sa pensée à la sienne, l'homme quittera sa place, il s'approchera d'elle, il s'agenouillera à ses pieds, il ne sera plus son propre maître, elle le laissera guider ses fantasmes, il lui parlera, avec amour, avec douceur, il clamera aux cieux tout ce qui désormais les unira. Mais pourquoi les étoiles qui déchirent le ciel ne s'unissent-elles pas au soleil ? Pourquoi l'aube ne s'associe-t-elle pas au crépuscule ? [...] La femme ne saura plus puisque l'homme se cognera à l'obstacle du bonheur, puisqu'il oubliera l'amour pour la flamme du désir... Il n'avouera plus qu'il n'a jamais voulu s'unir au rêve de la femme, mais plutôt à sa chair. (*SB*, 53)

C'est ici qu'apparaît l'interprétation que fait le roman des vers cités du Cantique des Cantiques : le soleil est transformé en métaphore des «flammes du désir» mâle, désir sans amour, purement charnel, qui calcine le cœur de la femme. Dorothy Blair fait d'ailleurs l'hypothèse que même dans le chant biblique, cette dimension figurative ne soit pas à exclure : « "Le soleil qui m'a brûlée" semblerait être un symbole de l'homme chauvin, spoliateur des femmes[4]. »

Ce sera par ailleurs à travers un développement de la métaphore du soleil que le texte aboutira à une réécriture du récit de la Genèse qui se lit à la fois comme une «féminisation» et une «africanisation» du récit biblique. «Pourquoi les étoiles qui déchirent le ciel ne s'unissent-elles pas au soleil?» Ancêtres de la femme, elles ont plus de «sagesse» :

> Autrefois, la femme était étoile et scintillait nuit et jour dans le ciel. Un jour, par un phénomène que les astres piétinés refusent d'expliquer,

---

4. Dorothy Blair, «From King Solomon to Camus : Some New Directions in African Women's Writing», dans *Protée noir. Essais sur la littérature francophone de l'Afrique noire et des Antilles*, Paris, L'Harmattan, 1992, p. 161. « *"Le soleil qui m'a brûlée" would seem to be a symbol for chauvinist man himself, the despoiler of women.* »

l'homme fut propulsé sur terre. Il portait la souffrance dans le corps, il gémissait nuit et jour et l'étoile souffrait de le voir souffrir. Ne pouvant plus supporter ces plaintes qui lacéraient ses chairs, elle voulut lui offrir son aide. Elle apporta avec elle des containers entiers de lumière et, nuit et jour, elle le veilla. Elle lui donna la lumière et l'amour en abondance et il se retrouva très vite sur pied. Considérant que sa mission s'achevait et qu'il était temps de regagner sa place dans les astres, elle fit ses bagages et voulut s'en aller. C'est alors qu'elle s'aperçut de la traîtrise de l'homme. Pour l'obliger à rester, il avait dérobé les containers de lumière et encerclé sa maison d'un fil de fer. L'étoile ne pouvait plus partir. Elle était prisonnière. Elle supplia, elle pleura, l'homme ne voulait rien entendre, il disait : «J'ai besoin de toi pour monter, je ne peux souffrir ton absence», elle hurlait sa douleur, il s'accrochait à ses mots. Elle pleura pendant sept jours et sept nuits et ses larmes formèrent la mer, les rivières, les marigots et les lacs. (*SB*, 146)

L'on constate que dans cette version de «l'origine du malheur», ce n'est pas la femme qui commet le péché originel et provoque la chute de l'homme ; l'homme est «propulsé» sur terre, mystérieusement ; la femme se donne pour mission de le sauver et se fait piéger dans des sphères qui ne sont pas les siennes. En même temps, cette réécriture semble s'inspirer d'une pensée totémique où l'ancêtre lointain de la femme est un corps céleste plutôt qu'un membre du règne animal, ce qui est généralement le cas dans les croyances traditionnelles. Ainsi la femme est totalement dissociée de «l'animalité» de l'homme, ne conservant que des qualités «célestes» et aquatiques : luminosité, fraîcheur, mouvance, amour inconditionnel, guérison. Mais dans son égoïsme, l'homme, cherchant à posséder l'étoile, la détruit et se détruit. La lumière se transforme en eau, vestige du féminin.

L'homme à cheval et la femme aux yeux sereins

Voici donc l'homme, gémissant sur sa douleur, incapable de se relever, d'apprécier l'étoile, la femme, la beauté du monde. Le roman de Simone Schwarz-Bart, dans sa réécriture des origines, aboutit à un portrait analogue. Télumée, comme Ateba, vit dans un univers familial de femmes où les hommes se font rares. À dix ans, après le décès de son père, la fillette est confiée à sa grand-mère Toussine, car sa mère craint que son nouveau conjoint, grand amateur de chair féminine, ne s'en prenne à sa fille (*TM*, 46). Choyée par sa grand-mère, Télumée grandit heureuse dans le village de Fond-Zombi et, à dix-huit ans, épouse Élie, son premier amour de jeunesse. Le jeune ménage connaît un bonheur parfait jusqu'au jour où une mauvaise saison jette le village dans une misère extrême. «Scieur de long», Élie ne trouve plus preneur pour ses planches, sombre dans le désespoir et se défoule sur sa femme, la battant sauvagement jusqu'à ce que les femmes du village viennent la soustraire à l'empire de son prince devenu tyran. Elle ira alors travailler dans les champs de canne et se remariera avec un homme d'une grande bonté mais qui périra lors d'une grève de travailleurs d'usine de transformation. Ayant fait son deuil, Télumée vivra ensuite quelques années avec une fille adoptive qui lui sera enlevée par l'Ange Médard, véritable incarnation du Mal. Le récit qui constitue le roman est celui de Télumée qui, parvenue au «troisième âge», «rêve debout», solitairement, dans son jardin (*TM*, 11).

Si Télumée réussit à finir ainsi sa vie «debout» en dépit de tous les «pluies et vents» qui l'ont accablée tout au long de ses jours, c'est grâce à l'enseignement de Toussine, fait de contes et maximes, qui l'accompagne depuis ses dix ans. Ainsi, alors que les villageoises se complaisent un jour à décréter que «la vie [est] un vêtement déchiré, une loque impossible à recoudre» (*TM*, 50), Toussine leur esquisse en une phrase le chemin du bonheur : «[...] trois sentiers sont mauvais pour l'homme : voir la beauté du monde, et dire qu'il est laid, se lever de grand matin pour faire ce dont on est incapable, et donner libre cours à ses songes, sans se surveiller, car qui songe devient victime de son propre songe...» (*TM*, 51). Cependant, alors que les personnages féminins du roman parviennent pour la plupart à s'écarter de ces «mauvais sentiers», les hommes s'y égarent, semant le malheur autour d'eux. Comme de nombreux contes, le roman met ainsi en scène un double parcours, un cheminement gratifiant que le public (le lecteur) est invité à faire sien et un comportement sanctionné (par le malheur ou la mort) contre lequel on est prévenu[5]. Et pour mieux ancrer dans l'esprit des jeunes les dangers des mauvais chemins, Toussine présente tous les jeudis à Élie et Télumée le conte de «l'Homme qui voulait vivre à l'odeur» qui, comme le mythe de l'étoile dans le roman de Beyala, se lit comme une réinvention de la Genèse.

Cette fois, le malheur arrive sur terre lors du repos de Dieu, de manière inexpliquée :

[...] au commencement était la terre, une terre toute parée, avec ses arbres et ses montagnes, son soleil et sa lune, ses fleuves, ses étoiles. Mais Dieu la trouva nue, et il la trouva vaine, sans ornement aucun, c'est pourquoi il

---

5. Voir par exemple le conte «Maman d'l'eau» dont il existe de multiples versions, entre autres celle transcrite par Raphaël Confiant et publiée dans *Contes créoles des Amériques*, Paris, Stock, 1995.

l'habilla d'hommes. Alors il se retira au ciel, entre deux cœurs, voulant rire et voulant pleurer et il se dit : ce qui est fait est bien fait, et là-dessus il s'endormit. À l'instant même, le cœur des hommes sauta d'émotion, ils levèrent la tête, virent un ciel tout rose et se sentirent heureux. Mais déjà ils étaient autres et beaucoup de visages ne rayonnaient plus. Ils devinrent lâches, malfaisants, corrupteurs et certains incarnaient si parfaitement leur vice qu'ils en perdaient forme humaine pour être : l'avarice même, la méchanceté même, la profitation même. Cependant, les autres continuaient la lignée humaine, pleuraient, trimaient, regardaient un ciel rose et riaient. (*TM*, 77)

Dieu s'est-il endormi depuis le premier jour sans plus jamais se réveiller ? Toujours est-il que chacun a le choix de « voir le ciel rose et se sentir heureux »... ou bien de faire comme Wvabor :

En ce temps où le diable était encore un petit garçon, vivait à Fond-Zombi un nommé Wvabor Hautes Jambes, un très bel homme qui avait une couleur terre de Sienne, de longues jambes musclées, et une chevelure verte que tout le monde lui enviait. Plus il observait les hommes, plus il les trouvait pervers et la méchanceté qu'il voyait en eux l'empêchait d'admirer quoi que ce fût. [...] Une seule compagnie lui agréait, celle de sa jument qu'il avait appelée Mes Deux Yeux. [...] Une grande souffrance était en lui, il se sentait misérable et se laissait emporter au gré de l'animal. On le voyait passer de morne en morne, de plaine en plaine et rien ne parvenait à l'égayer. [...] Un jour qu'il se promenait ainsi sur la jument, il aperçut une femme aux yeux sereins, l'aima, tenta alors de mettre pied à terre, mais il était trop tard. La jument se mit à braire, à ruer et prenant la cavalcade, l'entraîna ailleurs, bien loin de la femme, en un galop forcené qu'il ne pouvait arrêter. La bête était devenue son maître. (*TM*, 78)

Et grand-mère Toussine, surnommée Reine Sans Nom, de conclure son conte : « Derrière une peine il y a une autre peine, la misère est une vague sans fin, mais le cheval ne doit pas te conduire, c'est toi qui dois conduire le cheval » (*TM*, 79).

Or, si Télumée s'applique à mettre en œuvre ce principe d'une vie tenue fermement par les brides, Élie, lui, dès la première peine qui se lève à l'horizon, enfourche son cheval à l'image de Wvabor Hautes Jambes. Après la saison désastreuse,

Élie ne reprit jamais plus le chemin de ses bois. C'était un homme accablé, embarrassé de son corps, de son âme, de son souffle. Les gens le regardaient avec gêne et il demeura seul, sans nul ami, avec ce gouffre dans sa poitrine où tout venait s'anéantir. Il acheta un cheval sur notre dernier argent et se mit à fuir Fond-Zombi, hantant les sections environnantes, y semant le trouble et lançant ses fameux défis. [...]. Quand il revenait de ces randonnées, Élie me traitait de nuage noir et jurait qu'il me dissiperait. Et puis il avait des violences étranges, des cruautés choisies qu'il appelait ses caprices, ses petites joies. (*TM*, 149-150)

Ainsi Élie perd sa forme humaine pour devenir « la méchanceté même », le mal incarné. Il apparaît également dans ce passage que le cheval, dans ce texte, est l'équivalent de la métaphore du soleil chez Beyala, désignant cette virilité débridée qui réduit la femme à néant. À la différence d'Ateba, toutefois, Télumée ne se laissera pas entraîner dans les gouffres de la destruction et de l'autodestruction ; grâce à l'appui indéfectible de Toussine, plus tard d'Amboise, elle se remettra toujours debout afin de mieux contempler la beauté du monde.

La réécriture du récit biblique de la Genèse dans ces deux textes semble donc, dans un premier temps, délester la femme du poids du péché originel d'une Ève qui aurait cédé la première aux tentations du diable et projeté l'homme dans le malheur. Dans ces deux récits, l'homme, aveuglé par ses propres désirs, évolue dans un univers de souffrance, duquel toute la lumière, la bienveillance et l'amour de la femme « aux yeux sereins » ne parviennent pas à l'extraire. Ce nouvel imaginaire qui prête à la femme force et lumière — en fait, le pouvoir de changer le monde — semble néanmoins se construire toujours selon la logique des mythes fondateurs, logique de l'incompatibilité de soi et de l'autre, mais en effectuant une inversion : l'être élu, c'est la femme ; l'être déchu, c'est l'homme, et si l'on ne veut pas se laisser entraîner dans sa chute, mieux vaut se tenir au loin, ne pas s'unir au soleil, s'écarter de la trajectoire du cavalier fou.

La langue du cœur pour passer les frontières

Il n'est pas sûr toutefois qu'il s'agisse là d'une pensée essentialiste[6] ; on a plutôt affaire à une interrogation sur la manière d'établir une relation... c'est-à-dire de forger un langage commun. Cette interrogation se précise dans les romans de Djebar et d'Agnant qui procèdent à une réécriture de l'Histoire en tant que récit des origines, plutôt qu'à un « détournement » des récits de la Genèse. *Vaste est la prison* se présente comme un texte éclaté aux multiples interférences génériques et discursives : roman, autobiographie, essai, histoire, scénario de film, etc.,

---

6. Commentant le néologisme « misovire » de Werewere Liking, Irène d'Almeida explique : « Dans le même temps, faisant fi de la signification étymologique de sa propre invention, Liking donne un tout autre sens à son néologisme. *"Une misovire"*, dit-elle, est *"une femme qui n'arrive pas à trouver un homme admirable"*. Cette définition lui évite de pratiquer une scission essentialiste entre hommes et femmes et lui permet de mettre l'accent sur les insuffisances des hommes dans les sociétés africaines contemporaines. » Voir Irène d'Almeida, « Femme, féministe et misovire ? », *Notre Librairie*, « Nouvelles écritures féminines », n° 117, avril-juin, 1994, p. 50.

si bien que le rapport entre les différentes parties principales du texte peut ne pas ressortir lors d'une première lecture[7]. En effet, chaque sous-titre semble chapeauter un récit autonome. La première partie, « L'effacement dans le cœur », relate quelques moments d'une histoire d'amour impossible entre la narratrice, Isma, et un homme appelé simplement l'Aimé. La deuxième partie du roman, « L'effacement sur la pierre », retrace l'histoire de l'écriture lybique (berbère), écriture perdue et « retrouvée » à partir d'un monument bilingue (punique-berbère) découvert à Dougga (en Tunisie, près de la frontière algérienne) au xviie siècle. Ce sont des faits et des personnages historiques qui sont évoqués ici. « Un silencieux désir », la troisième partie, présente, en alternance, le tournage d'un film par la narratrice et l'histoire des femmes de sa famille, à partir du premier mariage de sa grand-mère. La dernière partie, « Le sang de l'écriture », une sorte d'épilogue, évoque la difficulté d'écrire sur la situation actuelle en Algérie.

La cohérence de ces récits en apparence disparates apparaît lorsqu'on examine la partie centrale : il s'agit effectivement d'une réécriture de l'histoire précoloniale du Maghreb où ne paraissent que des personnages et des événements qui s'organisent selon deux isotopies principales qui sous-tendent également les autres séquences du roman : la quête d'une langue perdue et le principe de « passer les frontières ». Les deux apparaissent comme des modes de délivrance éventuels de cette « prison » du titre du roman, emprunté à une chanson berbère citée dans le texte :

Depuis le premier jour de l'année
Nous n'avons eu un seul jour de fête !...
Vaste est la prison qui m'écrase
D'où me viendras-tu, délivrance ? (VP, 237)

Chantées lors des funérailles d'une jeune fille morte à seize ans, ces paroles suggèrent que le terme « prison » est à prendre au sens le plus large et qu'il renvoie à tout ce qui accable l'être humain. Ce qui est évoqué alors est cette prison de l'existence sur terre, assez désespérante, où la vie apparaît comme une vallée de larmes dont on ne s'échappe que par la mort. Dans cette perspective, la prison au sens propre — tel ce pénitencier français où est enfermé le frère de la narratrice — apparaît comme étant moins « écrasante », moins étouffante, que les barrières associées à certaines conventions sociales. En effet, les coutumes qui instituent la ségrégation des sexes et exigent des femmes une totale

---

7. Le développement suivant reprend certains éléments présentés à partir d'une autre perspective dans un article précédent : Christiane Ndiaye, « Vastes prisons : Assia Djebar et Calixthe Beyala », *La parole métèque*, n° 34, mars 2000, p. 12-19.

soumission aux hommes érigent de véritables cloisons, invisibles certes, mais bien plus difficiles à franchir que les murs concrets des cuisines et appartements où les femmes passent la majeure partie de leur temps. Isma, la narratrice, est une femme professionnelle qui circule librement et se trouve rarement dans ces espaces intérieurs. Elle se heurte davantage aux barrières des « usages » qui entravent les relations humaines, les dialogues et les émotions appelées, selon une figure courante, les « mouvements du cœur ». Ainsi le roman commence par une anecdote qui fait état du choc ressenti par la narratrice lorsqu'elle s'aperçoit à quel point la langue elle-même participe des conventions écrasantes. Il faut souligner qu'il s'agit en l'occurrence de la langue arabe, langue maternelle que le personnage d'Isma (sinon l'auteure) considérait jusque-là comme la langue de l'affectivité, de l'intimité, la langue du cœur, par opposition à la « langue du père », le français, langue de l'intellect et d'une éducation qui mène, certes, à une prise de conscience libératrice, mais qui est ressentie comme « étrangère » aux mouvements du cœur. Mais voilà qu'une paisible matrone bourgeoise ébranle cette perception de la langue maternelle en disant tout simplement, quand elle quitte le hammam, qu'elle doit rentrer parce que « l'ennemi » — son mari — est à la maison (*VP*, 13). La guerre des sexes se révèle alors être inscrite dans la douce langue maternelle, qui devient du coup un code parmi tant d'autres, code dont on se sert pour répéter des idées, comme des gestes, mécaniquement, en toute inconscience. Car devant le désarroi d'Isma, sa belle-mère s'empresse d'expliquer qu'il s'agit d'une « façon de parler ». Mais comment s'accommoder d'un mot si dramatique s'il ne correspond pas au vécu, et comment ignorer le drame collectif — la relation conflictuelle entre hommes et femmes — évoqué par ce mot ?

C'est ce questionnement qui explique la suite du roman, laquelle se présente alors comme une quête de la langue perdue. La véritable « langue maternelle », ne serait-ce pas le berbère, langue conservée par les femmes et les tribus nomades pendant des siècles à l'insu de l'ordre établi, patriarcal ? Où chercher la langue du cœur, celle qui permet de se faire entendre de l'Autre, (qui servira aux étoiles pour interpeller le soleil, à la femme aux yeux sereins pour faire descendre le cavalier fou de son cheval) ? On comprend mieux dès lors que le roman d'Assia Djebar s'adonne à une réécriture de l'histoire pour mieux enjamber les espaces et le temps dans sa quête de cette langue perdue permettant de communiquer « hors pouvoir[8] ».

8. Dans le sens de Roland Barthes, *Leçon*, Paris, Seuil, 1978, p. 15.

C'est manifestement le désir d'une relation non conflictuelle, «hors pouvoir», le besoin de s'éloigner d'une existence avec «l'ennemi» où «tant d'interdits s'érigent» qui explique la fascination de la narratrice Isma pour le personnage appelé l'Aimé. Ses rapports avec lui prennent souvent la forme d'un jeu qui lui permet d'imaginer qu'elle pourrait vivre avec lui une complicité, une camaraderie et un dialogue qu'elle n'a jamais connus avec un homme. Elle s'explique elle-même le début de cette relation en disant : «Ce n'était pas maintenant un besoin de groupe ; plutôt une nostalgie, pour moi, de cet âge perdu : de n'avoir pas eu de camarades garçons, des connivences légères, gratuites, avec l'autre sexe... Vingt ans après, je supprimais enfin le tabou, la ségrégation ; mieux valait tard que jamais» (VP, 53). Ce n'est que lors d'une confrontation entre le mari d'Isma et l'Aimé que l'espoir de cette relation libératrice s'effacera, car le jeune homme tourne simplement le dos au mari et quitte les lieux, si bien que «l'épouse fugitive» doit admettre que ce n'est pas lui qui empêcherait l'époux de la «réencager» (VP, 104). Et c'est alors que le texte se mettra en quête de la langue perdue, langue de l'âge perdu, langue de l'intimité. Car à quoi bon multiplier les amours, si l'Autre finit toujours par tourner le dos ? La suite du roman de Djebar se lit dès lors comme la mise en scène d'une multiplicité de personnages qui ont su «passer les frontières» entre l'espace du soi et de l'autre ; c'est à travers eux qu'apparaît le secret de la «langue perdue[9]».

En effet, les deuxième et troisième parties du roman font suivre au lecteur le parcours d'une théorie de personnages qui, à travers les âges et les générations, les fictions et les réalités, ont su franchir des barrières jusque-là presque étanches, entre les classes, les professions, les religions, les rôles sociaux, les pays, les sexes et les langues. Les scènes de film que la narratrice tournera (présentées dans la troisième partie du texte) sont emblématiques à cet égard. Le premier plan montre une femme qui dort pendant que son mari, un paralytique confiné à sa chaise roulante, la regarde du seuil de la porte qu'il tente en vain de franchir. Ce rapport est ensuite renversé : le mari malade se trouve dans la chambre tandis que plusieurs plans mettent en scène Leila, l'épouse, entrant et sortant, franchissant toutes les portes et traversant les chambres (VP, 300). De même, le lecteur pourra suivre le parcours de la «mère-voyageuse», celle qui avait conservé les chants nouba andalous et qui traversera les

---

9. En exergue à cette deuxième partie du roman figure la citation suivante de Charles Dobzynski : «J'avais peut-être enterré l'alphabet. Je ne sais au fond de quelle nuit. Son gravier crissait sous mes pas. Un alphabet que je n'employais ni pour penser ni pour écrire, mais pour passer les frontières...» (VP, 119).

frontières des langues, des codes vestimentaires et des pays pour pénétrer dans les prisons françaises afin de retrouver son fils.

Ce sera pourtant le récit historique qui sera le plus révélateur, s'arrêtant sur tous ceux qui ont su se déplacer, même à l'époque des empires où les identités s'affirment avec obstination, poussant les uns et les autres à vouloir anéantir ou du moins dominer l'Autre. On voit d'abord Thomas d'Arcos, intellectuel français du xviiᵉ siècle, capturé par des corsaires qui le vendent comme esclave à Tunis : il achète sa liberté mais reste à Tunis, se convertit à l'Islam et, en 1631, découvre le monument de Dougga qui comporte une double inscription énigmatique. Apparaît ensuite un «comte transfuge» du xixᵉ siècle, ex-révolutionnaire italien qui se fera historien, sensible lui aussi à la nature hybride du monument de Dougga. Le récit retient encore «l'écrivain déporté», un savant grec que les Romains amènent en Numidie où il écrit l'histoire de la chute de Carthage (en 146 avant J.-C.), ainsi que Jugurtha, prince berbère de la même époque qui, adolescent, sait lire la double inscription du monument puisqu'il s'est donné la peine d'apprendre le punique — la langue de l'Autre. Et Jugurtha fut précédé de Tin Hinan, princesse touareg du ivᵉ siècle avant J.-C. qui, en fuyant vers le sud, amena avec elle l'alphabet tifinag, lequel sera ainsi conservé grâce à elle.

Cette suite de portraits de personnages «marginaux» mène au constat que le texte de Djebar construit une histoire qui n'est pas celle des fondateurs et de l'origine des empires et des légitimations mais plutôt celle des «transfuges» et du contact des cultures, une histoire qui suit les traces des origines perdues de la Relation, symbolisée (concrétisée) par le caractère hybride du monument de Dougga. La langue perdue de la relation[10] est donc en fait celle qui surgit dans l'entre-deux, une langue qui se déplace, fugitive, comme les personnages du récit. La vie des langues «vaincues», comme celle de certains individus, se serait conservée par une «pratique du détour» ; c'est ainsi que se maintient la langue punique après la chute de Carthage :

> Carthage n'est plus là, mais sa langue court toujours sur les lèvres des lettrés et des non-lettrés des cités déchues, pas encore romanisées. Justement, elle court ; elle ne se fixe pas : la langue punique danse, et frémit, et s'étend, cinq ou six siècles encore. Libéré des soldats de Carthage, des prêtres de Carthage, des sacrifices d'enfants de Carthage, libéré et mouvant, le parler punique transmue, et transporte, de vive poésie, les esprits des Numides qui hier faisaient la guerre à Carthage. (*VP*, 156)

---

10. Rappelons que Glissant construit sa poétique de la relation en y intégrant à la fois les notions du relais, du relatif et du relaté. Voir *Le discours antillais*, Paris, Seuil, 1981, p. 190.

De la même façon, la langue berbère se maintient pendant 3000 ans dans les marges des grands empires par les incessants déplacements des tribus nomades et en particulier par le parler et l'activité scripturale des femmes berbères. C'est aussi en «se déplaçant» que Polybe, l'écrivain déporté chargé de faire le récit de la Conquête romaine, subvertit l'Histoire officielle en créant une «langue de poésie» (en grec) qui contourne adroitement l'idéologie inscrite dans les langues des trois peuples impliqués dans le conflit (le latin, le punique et le lybique/le berbère[11]).

Et c'est ainsi que le texte d'Assia Djebar aboutit à la redécouverte de la langue maternelle perdue qui s'avère alors être un langage plutôt qu'une langue. Car il apparaît ici qu'il ne s'agit pas non plus de la langue «originelle» berbère comme telle. Celle-ci devient plutôt *la métaphore* de cette langue qui «brouille les points de vue», cette langue qui danse, qui se crée *ailleurs*, dans une zone neutre, *entre* les langues naturelles, les codes qui régissent les collectivités, y compris la «collectivité» des hommes et des femmes. Elle évoque le langage de la création que chacun se forge individuellement envers et contre les discours sociaux. Le jeune Jugurtha se transforme ainsi, dans cette réécriture de l'histoire des peuples de la Méditerranée, en ancêtre des pratiques «relationnelles» des communautés composites, pratiques marginalisées par les cultures «ataviques», occultées et oubliées pendant des siècles, mais dont le principe reste enfoui au fond de la mémoire des nomades... des femmes et des poètes.

Le livre du double langage du corps

Ces mêmes composantes se retrouvent au centre du roman de Marie-Célie Agnant. Flore (comme Jugurtha) est interprète et son concours est nécessaire pour rendre accessible le récit confus d'Emma, internée dans un hôpital psychiatrique pour avoir mis fin à la vie de sa fille Lola (du moins est-ce ce dont on l'accuse). Par l'intermédiaire de Flore, le docteur MacLeod — et le lecteur — remonte petit à petit dans la mémoire perturbée d'Emma vers les zones obscures de son enfance et au-delà, vers «l'enfance» d'un peuple, «le ventre du bateau négrier et l'antre de la Plantation» d'où est issue la communauté créole des Caraïbes (dont Emma est originaire). À travers cet autre récit de «la genèse du meurtre» se lit la même interrogation que dans celui de Beyala : quelle est l'origine du malheur et de la violence qui marquent

---

11. Voir *VP*, 159.

le vécu des femmes, en particulier, et de l'humanité dans son ensemble, et comment accéder à cette « zone neutre » qui permettrait de créer des relations « hors pouvoir » ? Cette inscription d'une histoire collective dans le récit d'une vie individuelle se fait d'abord par la figure dramatique des quintuplés morts-nés dont Emma est la seule survivante : comme l'esclave rescapé du négrier et des multiples supplices de la vie sur la plantation, Emma vient au monde (le « nouveau monde », dans le cas de l'esclave) entourée de cadavres, mais, miraculeusement, survit. Fière de sa peau claire, Fifie, sa mère, ne peut se faire à cette fillette noire, sans grâce, qu'elle croit être habitée par un esprit diabolique (*LE*, 61), si bien que le personnage d'Emma, comme Ateba, comme Télumée, emprunte plusieurs des traits de l'orphelin(e) des contes, enfant mal aimé à qui l'on impose des tâches (missions) impossibles[12] (encore là on reconnaît la dépossession absolue de l'esclave, arraché aux siens et ne tirant rien de son labeur). Durant toute son enfance, Emma s'efforce en vain de gagner l'amour maternel et ne le trouvera que lorsque, adolescente, elle se réfugiera auprès de sa tante Mattie (une cousine de sa grand-mère) qui veillera sur elle comme Toussine sur Télumée. Et comme Toussine, Mattie compensera les lacunes de l'enseignement de l'école par des contes et récits que lui font connaître l'histoire de son peuple. Voulant à son tour faire toute la lumière sur cette Histoire méconnue, Emma ira faire des études supérieures en France, mais le jury rejettera sa thèse, ce qui marquera le début de son glissement dans la folie. Lors de ses années d'études, elle fera également la rencontre de Nickolas, prince charmant et nouvel homme universel d'ascendance chinoise, sénégalaise et espagnole. Nickolas cherchera à combler le profond besoin d'amour d'Emma, mais elle ne lui cédera qu'à moitié et, une fois internée à l'hôpital, elle coupera tout contact avec lui. Repliée sur elle-même, elle consentira finalement à livrer quelques bribes de sa vie de « malédiction » à Flore, l'interprète, avant de mettre fin à ses jours.

Récit aussi tragique que celui de Beyala, *Le livre d'Emma* se construit néanmoins à partir de plusieurs éléments porteurs d'espoir. Comme dans les autres textes que nous avons analysés, la réécriture d'un récit des origines passe ici par une « féminisation » qui cherche à enrayer le mal à la source et à préparer le terrain à un « langage du cœur » favorisant le rapprochement entre « ennemis » de longue date. En effet, c'est Mattie qui expliquera à Emma le comportement dénaturé de Fifie :

---

12. Voir le conte « Maman d'l'eau », dans *Contes créoles des Amériques, op. cit.*

— Comme Fifie ne pouvait pas comprendre, elle t'a fermé son cœur, tentait d'expliquer Mattie. Pour survivre, souvent nous n'avons pas d'autre choix. [... La] souffrance qui nous habite pour ce que nous sommes, cette souffrance que nous devons vivre parce que le monde nous pousse dans la marge jusqu'à nous faire haïr notre propre chair, c'est difficile à comprendre et à accepter, Emma. Il n'est pas étonnant qu'au bout de ce tunnel nous guette la démence, et c'est alors que nous détruisons notre propre chair, parce que nous tremblons pour elle, nous savons ce qui l'attend. (LE, 107)

Si ces paroles de Mattie semblent annoncer l'infanticide dont Emma sera accusée, elles renvoient d'abord au geste des mères qui étouffaient leurs enfants à la naissance pour les « mettre à l'abri » des souffrances de l'esclavage (LE, 137). Dans la mémoire des femmes descendant d'esclaves subsiste en effet la trace d'un « commencement du monde » où la vie n'est que déchirement du cœur et du corps :

Dieu a créé le jour et la nuit. Il a également créé les animaux du jour et ceux de l'ombre. Et nous, femmes de la nuit, nous sommes celles sur qui la vie et tout ce qu'elle contient de violent se jette. Elle nous roule avec fracas et brutalité, la vie. Qui peut me dire, faisait Mattie en haussant le ton, depuis que le monde est monde, quand la vie nous a-t-elle vêtues de dentelle et de soie ? Il ne faut pas en vouloir à Fifie, ma petite, malgré tout, tu ne peux lui en vouloir. Le mal dont souffre ta mère vient de loin. Il coule dans nos veines, nous l'ingurgitons dès la première gorgée du lait maternel. (LE, 108)

Ainsi le récit de Mattie remonte jusqu'à Kilima, « ancêtre fondateur » de cette douleur des femmes, dont la mère trépasse sur une rive africaine, dans un cri sans fin, lorsque sa fille lui est arrachée par des marchands d'esclaves. Objet de convoitise et de mépris de la part des hommes, noirs et blancs, de génération en génération, les femmes verront disparaître leurs êtres chers — pour ne trouver, en bout de course, d'autre « refuge » que celui de Fifie et d'Emma : « fermer son cœur » à tous, se réfugier dans la folie et la mort, « marronner » hors de l'espace des relations humaines, guerre permanente aux innombrables victimes.

Dans cette guerre sans merci, ce sont les « relations » de Mattie qui commencent à esquisser le début d'une trêve :

Vivre avec Mattie, c'était comme vivre dans un grand livre, un livre qu'elle construisait chaque jour, page après page, et dans lequel je découvrais les arabesques et les méandres de l'âme des humains. C'est dans ce livre que je découvris des vies étonnantes, celle de Béa, la mère de mon grand-père Baptiste, et celle de Rosa, ma grand-mère maternelle. (LE, 109)

Aussi est-ce ce « livre » qu'Emma transmettra à Flore et dont le lecteur prend connaissance sous le titre Le livre d'Emma. Il se lit en quelque sorte comme un livre qui devrait figurer parmi ceux de l'Ancien Testament (premier livre de Samuel, deuxième livre de Samuel, premier livre des Rois, livre de Job, etc.). À l'instar des livres bibliques, ce récit est issu d'une transmission orale et ne sera fixé dans un texte écrit qu'après plusieurs générations. Récit des origines, il servira à *guider* les générations futures, comme c'est le cas des mythes, contes et histoires relatés dans les textes de Beyala, Schwarz-Bart et Djebar. Par ailleurs, ce livre des origines comporte tous les traits de l'hybride qui caractérisent également le monument de Dougga autour duquel se construisent les «livres» de *Vaste est la prison*: l'oral y rencontre l'écrit, l'histoire des vainqueurs (les Phéniciens, les esclavagistes) y rencontre celle des victimes (les Berbères, les nomades, les «marrons»), le langage des hommes se double de celui des femmes (le berbère, la chronique des femmes et des enfants mal aimés). Ainsi, cette réécriture des récits des origines aboutit à une «restitution» du chaînon manquant, le livre de la rencontre des Différences où l'Autre est inclus et non exclu. Cette com-préhension génère alors un imaginaire du renouveau, du recommencement et de la renaissance.

Le livre d'Emma se termine sur une rencontre de Flore, l'interprète-narratrice, avec Nickolas, l'amant éconduit de la défunte, où Flore se sent guidée par la voix d'Emma:

> «Emma-Flore-Emma», répétait-il, tandis que la voix d'Emma chuchotait: «On nous a toujours appris que l'amour, comme tout ce qui est bon sur cette terre, n'est pas fait pour nous.»
> Emma. N'était-elle pas là, à guider sur mon corps le corps de cet homme, moi, une des seules femmes à avoir patiemment appris son langage? Oui, me disais-je, Emma me met au monde, elle réinvente ma naissance. Elle est là pour mener à travers moi sa dernière lutte et se jouer du destin. (*LE*, 166-67)

Ici, «réinventer sa naissance», c'est d'abord apprendre le langage de l'autre. En effet, Flore «corrige» les travers de la mère «dénaturée[13]» dans la mesure où elle ouvrira son cœur à Emma au point de s'identifier totalement à elle et de «corriger» également le comportement d'Emma à l'égard de Nickolas en cédant à son charme. Dans ce «don total» de Flore à Emma et à Nickolas, l'on reconnaît l'élan du cœur, la mission de l'étoile du texte de Beyala, l'élan qui porte Ateba à la rescousse de sa mère Betty et de son amie Irène, mais qui est freiné par sa mémoire de l'homme, «confisqueur» de lumière. Or, Flore, «conseillée»

---

13. Le texte crée plusieurs rapprochements entre Flore et Fifie, faisant de Flore une «double» plus avisée de Fifie.

par Emma, parvient à dépasser (à déjouer) ce destin, ces « souvenirs de guerre », pour se donner également à « l'ennemi ». Ce qui semble rendre possible cette rencontre est le contournement, l'absence de tout langage verbal, l'oubli de tout discours social sur la « négresse » (*LE*, 167), l'homme, l'amour, etc. : la communication avec Emma comme avec Nickolas se fait entièrement par le langage du corps[14]. En effet, la « sagesse des femmes » de la lignée de Mattie et Emma conseille de se méfier des mots :

> — Calme-toi, mon enfant, lui disait Cécile. Il ne faut pas trop s'attacher aux mots, ni trop leur faire confiance. [...] Beaucoup de choses restent dans les entrailles à tout jamais, parce qu'on ne sait pas comment les dire, elles demeurent sans nom. Mais elles sont si vivantes, au-dedans de nous. Parfois, on les connaît si bien qu'on a l'impression qu'il suffirait de poser le doigt pour indiquer l'endroit exact où on les sent frémir et bouillir. Parfois, encore, on s'en souvient comme nos oreilles se souviennent d'un cri. (*LE*, 150-151)

Cet imaginaire de la re-naissance passe donc littéralement par un imaginaire de la *naissance* où la relation prend des attributs de la « relation totale » entre la mère et son enfant à naître, relation intime, im-médiate (qui s'établit sans la médiation du langage verbal), communion sans faille des âmes et des corps. De cet « état originaire », où rien n'est encore nommé, l'on passe au « cri », qui, sans être encore un langage, marque la naissance.

Or, l'on peut noter que les relations qui comblent les personnages mal-aimés des autres romans comportent également une dimension physique, mais elles se créent sur le modèle maternel, entre femmes. Si la courte vie d'Ateba lui fournit quelques souvenirs d'un bonheur fugace, ce sont ceux des contes de sa grand-mère[15]. De la même façon, Télumée sera nourrie par les contes de Toussine : sa parole conjugue le savoir, l'imaginaire et l'affectivité, la chaleur humaine transmise par le contact physique. Emma connaîtra cette expérience éminemment intime dans les bras de Mattie :

> Dans la pénombre, je vois Mattie passer sa langue sur ses lèvres desséchées. J'ai treize ans, mais je suis si petite que Mattie m'assoit encore sur ses genoux pour me natter les cheveux. Même quand les nattes sont parfaites, avec tous les petits brins de cheveux bien sagement collés les uns aux autres, elle les défait chaque soir, les roule entre le pouce et l'index avant de les tresser à nouveau. Parfois, elle suit le même tracé, parfois elle dessine un

---

14. Voir *LE*, 167.
15. Voir par exemple *SB*, 27-28.

autre parcours. Tout en s'humectant les lèvres, tout en remuant les doigts, Mattie parle. (*LE*, 129-130)

Comme elle tresse les cheveux de l'enfant, Mattie tresse son récit, dans une ambiance de communion où l'art verbal naît de l'intimité des corps, amenant la « femme naissante » à ouvrir les yeux sur le monde, en douceur, à voir la beauté du monde malgré ses laideurs.

La confrontation de ces quatre textes de femmes laisse cependant entendre que cette expérience de la relation (du récit) entre femmes ne peut servir de modèle dans le rétablissement du dialogue avec « l'ennemi », car l'homme est Autre. Cet imaginaire de la naissance est d'abord celui de la renaissance du langage oublié des femmes — représenté par le berbère, dans le texte de Djebar —, langage du cœur où la femme « apprend son nom de femme », où elle se dit, au lieu d'être l'objet de la parole / du désir de l'Autre. Dans le renouveau des discours sociaux, cette redécouverte d'un langage perdu ne représente toutefois qu'une étape préliminaire — essentielle mais non pas suffisante — qui devra aboutir à un processus d'hybridation constante dont le monument de Dougga, figure centrale du texte de Djebar, est à la fois la trace et la préfiguration. Ce monument comporte deux faces, deux inscriptions différentes, gravées sur un même support ; par analogie, dans cet imaginaire de la « fin de la guerre des sexes », le rôle de la pierre, support de la rencontre des langues (langages), reviendra au corps, « matière première » de l'humain, interprète au double langage, intermédiaire qui réunit les langages sans les subordonner l'un à l'autre. « Pour qu'il y ait relation, il faut qu'il y ait termes différents […] s'il n'y a pas de différences, il n'y a pas de relation » (*IPD*, 72).

La réécriture des récits des origines dans ces quatre textes de femmes aboutit ainsi à une déconstruction des discours culpabilisants où le corps (de la femme) est source de péché, de déchéance. Dans le « nouveau monde » composite, le corps est source de vie, instrument de « créolisation », où l'identité féminine s'affirme sans être éclipsée par l'identité masculine ni éclipser celle-ci. Le corps n'est plus alors réduit à la *re*production, ni à une fonction érotique : il est à l'origine des langages, du relaté, source de production... il est le support de la langue perdue du cœur, de la poésie[16]. Ce corps, délesté des discours fondateurs du Bien et du Mal, permet de passer les frontières, d'amorcer une danse des langages où la « société des femmes » rencontre la « société

---

16. Voir l'évocation chez Djebar de l'écriture poétique de l'historien Polybe.

des hommes» dans une «zone neutre» — l'espace du non-dit — où l'Autre n'est pas un ennemi. Dans cet univers (ce livre) des origines, rien n'est inscrit depuis toujours ni pour toujours; le renouveau est permanent : «[...] le métissage ce serait le déterminisme, et la créolisation c'est, par rapport au métissage, le producteur d'imprévisibilité. La créolisation c'est l'imprédictibilité» (*IPD*, 66). À chacune, désormais, d'inventer son nom de femme en dehors de tout déterminisme et de le relater à l'autre dans un livre destiné à tous.

Femmes d'Alger dans leur appartement d'Assia Djebar :
une rencontre entre la peinture et l'écriture

FARAH AÏCHA GHARBI

Un portrait de femme ! rien au monde n'est plus difficile, c'est infaisable... c'est à en pleurer.

Jean Auguste INGRES

Lorsqu'en 1980, Assia Djebar publie aux Éditions des femmes à Paris un recueil de nouvelles intitulé *Femmes d'Alger dans leur appartement*, elle propose un travail d'écriture qui se présente comme un dialogue entre l'image et le texte. Le recueil emprunte aux tableaux de Delacroix et de Picasso son titre[1] et s'en inspire pour élaborer un parcours narratif racontant l'histoire des femmes d'Alger avant, durant et après la guerre d'indépendance. Djebar dispose et intègre côte à côte dans son recueil les parcours stylistiques de Delacroix et de Picasso, rétablissant une continuité chronologique et signifiante entre eux[2]. Le recueil se divise en deux parties. Chacune d'elles rassemble un certain nombre de nouvelles. Le premier récit, beaucoup plus long que les autres, s'intitule « Femmes d'Alger dans leur appartement ». La référence à la peinture est ainsi réaffirmée. C'est donc la rencontre entre la peinture et l'écriture, le fonctionnement et les conséquences d'un tel échange et d'une telle recontextualisation qui font tout l'intérêt de cette œuvre[3].

---

1. *Femmes d'Alger dans leur appartement*, c'est d'abord le titre d'un célèbre tableau de Delacroix peint en 1835. Picasso a lui aussi, par ailleurs, offert sa vision des *Femmes d'Alger, d'après Delacroix* en 1955, et ce, après s'être exercé 13 fois sur ce thème.

2. En effet, la première nouvelle du recueil propose une réécriture du tableau de Delacroix, tandis que les suivantes mettent en scène une écriture qui possède de nombreuses affinités avec la technique de travail de Picasso.

3. Le rapport « texte-image » est caractéristique de l'écriture djebarienne en général et il l'est par-dessus tout dans la nouvelle « Femmes d'Alger ». Il est également original, car il

Le visible et le lisible

Au moment où Assia Djebar prend la plume pour composer son recueil *Femmes d'Alger* en 1980, elle émerge d'un silence qui a duré 10 ans. En 1978, elle produit toutefois un film intitulé *La nouba des femmes du mont Chenoua*. Plus tard, l'auteure souhaitera poursuivre ses activités cinématographiques, mais en vain :

> J'aurais voulu faire un deuxième film (la même démarche, mais pour les femmes dans la ville d'Alger), mais, très vite, j'eus des difficultés. *La nouba des femmes* a été, dans l'ensemble, mal reçue par mes confrères (sauf deux critiques, de vrais cinéphiles). La presse ironisa sur mon « féminisme » à l'image, contraire au réalisme socialiste prôné alors. [...] N'ayant pas pu tourner ce deuxième film (dont le scénario me servit de base pour la nouvelle-titre de mon recueil de nouvelles *Femmes d'Alger*), je suis retournée à Paris. Je suis revenue à l'écriture en langue française[4].

Malgré tout, deux ans après la parution du recueil, soit en 1982, Assia Djebar reviendra au cinéma avec cette fois un long métrage intitulé *La zerda ou les chants de l'oubli*.

Le recueil est donc situé entre deux films et fait suite au premier. Il existe en germe dans une expérience filmique et devient finalement l'œuvre d'une réécriture des toiles de Delacroix et de Picasso. Comment Djebar réalise-t-elle cette rencontre entre l'image et le texte dans ses nouvelles ? Quels types de rapport entretiennent la peinture et l'écriture dans son recueil ?

Dans un article intitulé « Donner à ne pas voir », François Lecercle affirme que l'art pictural est « fondamentalement de l'ordre du leurre, parce qu'il présente à l'œil quelque chose de l'ordre du visible, et même du mimétique, alors qu'il vise un autre objet qui reste inaccessible, non vu..., un objet conçu, mais radicalement invisible[5] ». Selon lui, un tableau « ne sait donner à voir sans cacher par ailleurs[6] ». Lecercle

---

s'inscrit dans une double visée : esthétique et libératrice. Djebar affranchit la femme arabe en l'arrachant aux modèles créés par les peintres et lui garantit ainsi du même coup une émancipation à la fois physique, puisqu'il est question de délivrer la femme de tous ses espaces d'enfermement (du harem, entre autres), et métaphysique, puisqu'il est en outre question de faire sortir la femme du silence. Aucune étude ne s'est sérieusement penchée sur cette question.

4. David Coward et Kamal Salhi, « Assia Djebar Speaking : An Interview with Assia Djebar », entretien réalisé le 18 septembre 1997, *International Journal of Francophone Studies*, vol. II, n° 3, 1999, p. 177.

5. François Lecercle, « Donner à ne pas voir », dans Gisèle Mathieu-Castellani (dir.), *La pensée de l'image : signification et figuration dans le texte et la peinture*, Saint-Denis, Presses universitaires de Vincennes, coll. « L'imaginaire du texte », 1994, p. 123-127.

6. *Idem.*

aborde dans cette étude le rapport du visible et de l'invisible sur une toile et propose une théorie de la réversibilité en peinture. Djebar, loin de décrire ou de commenter ce que donne à voir *Femmes d'Alger* de Delacroix dans sa nouvelle portant le même titre, dévoile plutôt ce que l'œuvre picturale ne montre pas à propos de la femme algérienne.

Selon Jean-Pierre Guillerm, l'image suscite inévitablement, chez l'écrivain qui la reçoit, la contemple et la lit, le désir d'y répondre avec des mots : « Le rapport entre le lisible et le visible est à construire par le lecteur/spectateur [...]. Tout *étant* est promu à la signification, à partir du moment où il semble avoir été isolé, *cadré* par le discours[7] [...]. » Dans cette perspective, ce sera donc la nouvelle « Femmes d'Alger » qui nous renseignera sur le rapport que Djebar entretient avec les *Femmes d'Alger* de Delacroix, en nous informant « avec son propre mode de langage, ses propres outils, sa propre forme[8] [...] ».

En l'analysant, nous découvrirons que « la peinture n'intervient pas comme sujet — il ne s'agit pas d'un texte sur la peinture — mais comme forme littéraire[9] ». Nous étudierons ainsi la manière dont Djebar a déchiffré les codes picturaux de l'artiste romantique pour les récupérer et se les approprier ensuite lors de la rédaction de sa longue nouvelle : « En effet, le texte utilise le code pictural comme médiateur afin d'enrichir son propre univers esthétique. Aussi l'émergence de la peinture dans l'œuvre [...] est-elle médiatisée par une esthétique littéraire[10] [...]. » Comment de tels codes ont servi la vision personnelle de Djebar, comment ils ont contribué à la redéfinition de sa poétique en devenant un pré-texte entraînant l'exercice ainsi que le déploiement de procédés d'écriture particuliers, voilà ce qui retiendra principalement notre attention.

Mais avant tout, il sera nécessaire de nous familiariser avec ces codes afin que nous soyons plus à même d'analyser la façon dont Djebar les a médiatisés dans le récit éponyme du recueil, et ce, à travers des espaces diégétiques et une esthétique littéraire spécifiques. Et puisque les *Femmes d'Alger* de Delacroix ont été retravaillées par Picasso dont la part d'influence dans l'écriture de la nouvelle n'est pas négligeable, nous aborderons également les codes de travail du peintre cubiste sous le même angle et dans la même visée.

---

7. Jean-Pierre Guillerm (dir.), *Récits/Tableaux*, Paris, PUL, 1994, p. 10 et p. 115.
8. Anne Vetter, « De l'image au texte », dans Montserrat Prudon (dir.), *Peinture et écriture*, Paris, La Différence/UNESCO, coll. « Traverses », 1996, p. 207.
9. *Idem.*
10. *Idem.*

Eugène Delacroix, la peinture, le rêve

Au XIXᵉ siècle, Delacroix ne s'assimile pas aux courants picturaux dominants de son temps[11] et préfère s'en remettre à son imagination : « Devant la nature elle-même, c'est notre imagination qui fait le tableau[12] », écrit le peintre dans son journal. En fait, cet artiste ne retient du romantisme que l'idée du sentiment qui est pour lui une occasion de s'ouvrir au monde du rêve, lequel constitue sa propre réalité. C'est que le rêve permet au peintre de « montrer (son âme) sous mille formes [...], de s'étudier lui-même [...] continuellement dans ses ouvrages[13] ». Théophile Gautier a résumé en quelques lignes la nature et la portée du travail de Delacroix qui, selon lui, devraient être caractéristiques de l'art tout entier :

> Le but de l'art, on l'a trop oublié de nos jours, n'est pas la reproduction exacte de la nature, mais bien la création, au moyen des formes et des couleurs qu'elle nous livre, d'un microcosme où puissent habiter et se produire les rêves [...] que nous inspire l'aspect du monde. C'est ce que comprenait instinctivement ou scientifiquement Delacroix, et ce qui donnait à sa peinture un caractère si particulier, si neuf et si étrange[14].

Baudelaire affirme aussi que « pour ce grand peintre [...], si une exécution [...] est nécessaire, c'est pour que le rêve soit très nettement traduit[15] ». Mais bien que Delacroix soit en quête de sa propre réalité métaphysique à travers une approche onirique de la peinture, il ne réussit dans son travail qu'à trouver des bribes de cette même réalité qu'il définit comme une « région qu'il n'atteindra jamais[16] ». Qu'en est-il, dans ce contexte, de *Femmes d'Alger* ?

C'est au Maroc, en mai 1832, que Delacroix rencontre pour la première fois la femme arabe. Sa réaction ? Il est émerveillé : « C'est beau ! C'est comme au temps d'Homère. La femme dans le gynécée

---

11. C'est-à-dire aux courants philosophique, naturaliste et réaliste. Voir Honour Hugh, *Histoire mondiale de l'art*, Paris, Bordas, 1988, p. 494-530.

12. Eugène Delacroix, *Journal d'Eugène Delacroix*, éd. André Joubin, vol. 3, Paris, Plon, 1932 [1822-1863], p. 232. Delacroix a écrit ce commentaire à Strasbourg le 1ᵉʳ septembre 1859.

13. *Ibid.*, vol. 1, p. 102. Delacroix écrit ce commentaire à Paris le 14 mai 1824.

14. Charles Baudelaire et Théophile Gautier, *Correspondances esthétiques sur Delacroix*, Paris, Éditions Oblia, coll. « Classiques », 1998, p. 168.

15. Charles Baudelaire, *Pour Delacroix*, éd. Bernadette Dubois, Paris, Éditions Complexe, 1986, p. 156.

16. Eugène Delacroix, *Correspondance générale d'Eugène Delacroix*, éd. André Joubin, 5 vol., Paris, Plon, 1936-1938. Il s'agit d'une lettre écrite par Delacroix et envoyée à un dénommé Thoré en 1853. Cette lettre est citée dans *Baudelaire et Delacroix* de Armand Moss (Paris, Nizet, 1973, p. 114).

s'occupant de ses enfants, filant la laine ou brodant de merveilleux tissus. C'est la femme comme je la comprends[17]!» Le tableau *Femmes d'Alger*, peint en France en 1834, a été inspiré de ce périple qui s'est prolongé à Alger jusqu'à la fin du mois de juin. Dans cette toile, Delacroix donne à voir trois jeunes femmes arabes se prélassant dans l'intérieur d'un harem.

Baudelaire ne partage pas la vision qu'a le peintre de la femme arabe. En examinant chacune des figures du tableau qui sont peintes avec une exactitude impressionnante, tels des objets précieux, le poète refuse de comprendre l'Algérienne comme la comprend Delacroix. Alors que celui-ci exécute son œuvre avec ravissement, Baudelaire la contemple différemment, y décèle la présence d'une certaine affliction : « Cette mélancolie respire jusque dans les *Femmes d'Alger*, son tableau le plus coquet et le plus fleuri. Ce petit poème d'intérieur [...] exhale je ne sais quel haut parfum de mauvais lieu qui nous guide assez vite vers les limbes insondés de la tristesse[18].» À en juger par l'enchantement de Delacroix, la femme arabe est surtout belle à première vue et sa beauté se remarque d'ailleurs au tout premier plan dans le tableau. Selon Baudelaire toutefois, les femmes de la toile seraient malheureuses avant d'être belles : « [...] elles cachent dans leurs yeux un secret douloureux[19] [...].» De son côté, le critique Paul de Saint-Victor ne peut s'empêcher de ressentir la « mélancolie inexprimable » qui « s'exhale de cette chambre splendide et funèbre[20] », du harem où se détendent les *Femmes d'Alger*.

Les remarques de Baudelaire et de Saint-Victor révèlent la face cachée de la femme, une sorte de douleur obscure que Delacroix n'a su rendre qu'avec discrétion. Il s'agit là d'une réalité, d'une région que le peintre n'a pas réussi à atteindre complètement. Il a été mentionné plus haut que Delacroix se cherchait à travers la réalisation de ses toiles

---

17. Il s'agit là d'une « exclamation très connue de la correspondance de Delacroix » (Christiane Chaulet-Achour, « Eugène Delacroix, Assia Djebar : regards, corps, voix... », dans Monique Chefdor [dir.], *De la palette à l'écritoire*, vol. 2, Nantes, Joca Seria, 1997, p. 54). Plusieurs ouvrages critiques la citent de mémoire, dont celui de Chaulet-Achour, sans en préciser la source par conséquent. Assia Djebar la cite également de mémoire dans la « Postface » de son recueil (*Femmes d'Alger dans leur appartement*, Paris, Éditions des femmes, 1995, p. 147). Armand Moss y fait aussi allusion de la même manière dans son étude (*op. cit.*, p. 112).

18. Charles Baudelaire, *Correspondance générale de Baudelaire*, éd. Jacques Crépet, 6 vol., Paris, Éditions L. Corard, 1947-1953. On retrouve cette citation dans *Baudelaire et Delacroix* de Armand Moss (*op. cit.*, p. 95). Encore une fois, le critique en donne la source, mais sans précision de volume ni de date.

19. Georges Regnier, *Le peintre et le poète : Delacroix et Baudelaire* (film cinématographique), Paris, Armor films, 1961, 19 min.-16mm.

20. Armand Moss, *op. cit.*, p. 112-113.

tout en ne parvenant jamais absolument à sonder le secret de sa propre vérité intérieure. De façon similaire ici, le personnage féminin que Delacroix cherche à comprendre, donc, à découvrir réellement à travers le filtre de ses propres rêves, conserve jalousement une part de mystère. Le peintre accorde tellement d'importance aux dimensions physique et décorative de la femme ainsi qu'à son lieu d'habitation, le harem, qu'il relègue à l'arrière-plan tout ce qui constitue son aspect invisible, à savoir son identité profonde. Si le peintre croit avoir compris l'Algérienne de son tableau, cette compréhension semble relever d'une illusion.

Djebar lectrice de Delacroix

Djebar ne manque pas de remarquer à quel point Delacroix a surtout exposé dans son tableau une fidèle description extérieure du corps féminin et des appartements privés qu'il occupe. Trop maquillé de jolies couleurs chaudes, riches et lumineuses, trop déguisé avec de somptueux tissus et trop entouré de sublimes objets, le caractère métaphysique de ce corps demeure à peine visible, perceptible. L'auteure qualifie donc d'abord l'Orient ainsi représenté par Delacroix de façon négative : «un Orient superficiel, dans une pénombre de luxe et de silence[21]». Aux yeux de l'auteure, Delacroix faisait partie des «artistes étrangers, nouvellement arrivés à Alger [...], qui étaient tous seulement préoccupés de noter les couleurs, les costumes, les postures de l'Algérienne[22]». En contemplant les *Femmes d'Alger*, Djebar ne cesse de s'interroger :

> Ce cœur de harem entrouvert, est-il vraiment tel qu'il[23] le voit ? [...] À son retour à Paris, le peintre travaillera sur l'image de son souvenir qui tangue d'une incertitude. Il en tire un chef-d'œuvre qui nous fait toujours nous interroger [...]. La vision, complètement nouvelle, a été perçue image pure. Cet éclat trop neuf devait en brouiller la réalité[24].

La précision avec laquelle Delacroix a su rendre et décrire l'apparence physique de la femme témoigne difficilement, selon Djebar, de son identité réelle, de sa vérité essentielle.

Dans la «Postface» de son recueil, Djebar perçoit, à partir de sa lecture de la toile, la présence d'un certain malaise dans le geste créateur

---

21. Assia Djebar, «Postface», dans *Femmes d'Alger dans leur appartement*, op. cit., p. 172.
22. Assia Djebar, *Ces voix qui m'assiègent... en marge de ma francophonie*, Montréal, Presses de l'Université de Montréal, 1999, p. 78.
23. Assia Djebar parle de Delacroix ici.
24. Assia Djebar, «Postface», op. cit., p. 147.

de Delacroix. Elle se demande «quel choc, ou tout au moins quel vague trouble a saisi le peintre[25]» lors de son travail. Elle constate que le caractère irréel de la lumière contraste étrangement avec la précision des couleurs et le détail des costumes. Voici sa description du tableau :

> *Femmes d'Alger dans leur appartement* : trois femmes dont deux sont assises devant un narguilé. La troisième, au premier plan, est à demi allongée, accoudée sur des coussins. Une servante, de trois quarts dos, lève un bras comme si elle écartait la lourde tenture qui masque cet univers clos ; personnage presque accessoire, elle ne fait que longer ce chatoiement de couleurs qui auréole les trois autres femmes. Tout le sens du tableau se joue dans le rapport qu'entretiennent celles-ci avec leur corps, ainsi qu'avec le lieu de leur enfermement. Prisonnières résignées d'un lieu clos qui s'éclaire d'une sorte de lumière de rêve venue de nulle part — lumière de serre ou d'aquarium — le génie de Delacroix nous les rend à la fois présentes et lointaines, énigmatiques au plus haut point[26].

C'est précisément cette lumière irréelle qui instaure le doute, qui autorise le spectateur à se demander si les *Femmes d'Alger* de Delacroix sont, en définitive, «parfaitement» à l'image de ce que nous montre d'elles le tableau ; si elles sont réelles ou le produit d'un rêve, celui du peintre... Djebar écrit encore à ce sujet : «Il y a comme une fébrilité de la main [...], révélation évanescente se tenant sur cette mouvante frontière où se côtoient rêve et réalité[27].» En d'autres termes, rêve et réalité semblent tendre à ne former qu'un seul espace dans la toile de Delacroix.

Les interprétations que Djebar fait du tableau de Delacroix créent en elle le désir de reprendre et de terminer le travail du peintre. Aussi l'auteure veut-elle donner à voir par l'écriture ce qui serait, à son sens, resté invisible dans les tableaux. Elle tente donc de donner forme à un tableau latent qui n'aurait cessé de se profiler derrière les images du peintre. Écrire pour montrer la vérité cachée de la femme algérienne, et ce, à partir des *Femmes d'Alger* encore énigmatiques de Delacroix, tel est son objectif. Ainsi, dans la nouvelle éponyme du recueil, Djebar met d'abord en scène la quête de connaissance du peintre pour donner ensuite accès à des vérités de la femme algérienne simplement suggérées par la toile :

---

25. *Idem.*
26. *Ibid.*, p. 148.
27. *Ibid.*, p. 146-147. Michel Deguy, dans un texte intitulé «De l'image», explique bien le phénomène selon lequel Delacroix éprouve le besoin inconscient de rêver ce qu'il voit. Il écrit que «dans le visuel se composent une logique de l'inconscient, une logique du rêve, une logique de l'hallucination» (dans Gisèle Mathieu-Castellani [dir.], *op. cit.*, p. 256).

Je ne vois que [...] chercher à restituer la conversation entre femmes, celle-là même que Delacroix gelait sur le tableau[28].

L'écriture [...] doit rendre présente la vie, la douleur peut-être mais la vie, l'inguérissable mélancolie mais la vie[29] !

Quels procédés Djebar utilisera-t-elle pour réussir cette rencontre entre l'image et le texte ? Dans la nouvelle « Femmes d'Alger », l'espace du rêve est omniprésent. Nous avons vu à quel point cette question du rêve qui côtoie la réalité est importante dans le travail de Delacroix. Par ailleurs, tout geste pictural n'est-il pas relié au rêve de quelque façon ? Telle est l'hypothèse émise par Pierre Luquet qui, dans « L'œil et la main », affirme qu'« il faut considérer la pensée picturale comme un travail mental [...] au sens du travail du rêve[30] ». Djebar s'est servie du rêve, de son espace et des procédés d'expression qui lui sont propres (figuration, condensation, déplacement, symbolisation[31]), comme espace de médiation entre la peinture de Delacroix et son écriture. De cette façon, Djebar peut travailler les images de Delacroix pour montrer ce qu'elles dissimulent.

Les femmes d'Alger de Picasso

Picasso, contrairement à Delacroix, s'ingénie plutôt à peindre, à explorer la réalité invisible, profonde et essentielle qui se cache derrière toute réalité visible, jugée superficielle. Comment le peintre cubiste y parvient-il ? En disséquant les figures qu'il représente sous toutes leurs formes.

28. Assia Djebar, « Postface », op. cit., p. 164.

29. Assia Djebar, Ces voix qui m'assiègent, op. cit., p. 172.

30. Pierre Luquet, « L'œil et la main », dans Henriette Bessis et Anne Clancier (dir.), Psychanalyse des arts de l'image, Paris, Clancier-Guénaud, coll. « Centre national des lettres », 1981, p. 237.

31. Ces procédés ont été découverts par Sigmund Freud et définis dans plusieurs ouvrages, notamment L'interprétation des rêves, Paris, PUF, 1967. Nous nous servons ici du recueil de textes choisis de Freud par Dina Dreyfus, Psychanalyse, Paris, PUF, 1973. La figuration, ou figurabilité, est la transformation de significations en images visuelles ; cette transformation est liée à une exigence du rêve, où les idées abstraites n'ont pas leur place. La condensation consiste à « condenser, c'est-à-dire relier des éléments qui, à l'état de veille, resteraient certainement séparés » (Psychanalyse, op. cit., p. 84). Le déplacement « se manifeste par ce fait que tout ce qui, dans les pensées oniriques, se trouvait périphérique et était accessoire, se trouve, dans le rêve manifeste, transposé au centre et s'impose vivement aux sens et vice versa » (ibid., p. 85). Grosso modo, ce procédé apparaît comme un changement de focalisation. Dans ce cas, le rêve met l'accent sur un détail sans grande importance, l'essentiel étant déplacé dans les marges de la scène. Enfin, la symbolisation est décrite par Freud en ces termes : « Nous donnons au rapport constant entre l'élément d'un rêve et sa traduction le nom de symbolisme, l'élément lui-même étant un symbole de la pensée inconsciente du rêve » (ibid., p. 93).

Pour Picasso, donc, « il ne faut [...] pas imiter ce que l'on veut créer. On n'imite pas l'aspect ; l'aspect c'est le résultat. [...] la peinture doit faire abstraction des aspects. Les sens déforment, l'esprit forme. Travailler pour perfectionner l'esprit[32]. » Il est manifestement question ici d'une « recherche introvertie[33] » qui vise à mettre en forme les réalités « spirituelles » des figures ou des objets étudiés à même leurs déformations physiques.

Les femmes d'Alger, d'après Delacroix de Picasso[34], exposé à Paris le 14 février 1955, a découlé d'un travail pictural qui a débuté le 13 décembre 1954 et qui s'est terminé le 11 février de l'année suivante. Entre-temps, jour après jour, le peintre a produit 14 dessins préparatoires différents — et en même temps ressemblants — qui ont tous conduit à l'exécution définitive de la toile. Cette période fut donc une entreprise de dissection et d'exploration de la femme à travers la peinture : d'un dessin à l'autre, parce qu'il s'acharnait toujours à reproduire un seul et même sujet (quoique chaque fois selon une perspective différente), Picasso s'est livré à une véritable pratique de la répétition. C'est ainsi que son travail « préparatoire » s'est finalement révélé être un important exercice de modulation fragmentaire qui a progressivement mené à la réalisation finale de la grande toile. Murielle Gagnebin, réfléchissant sur la série des dessins préparatoires, fait la remarque suivante : « [...] Picasso multiplie les variations. Quatorze pour les Femmes d'Alger. [...] Cet acharnement à la modulation, ce goût de l'inflexion [...], cache un principe profond », celui de la répétition. Selon Gagnebin, la structure répétitive prend la forme d'une exigence sans pareille chez Picasso et contribue de ce fait à expliquer la stylistique personnelle du peintre cubiste[35].

Toujours d'après Gagnebin, quelque chose de particulier existe à l'origine de la répétition : la pulsion[36], au sens freudien du terme. En approfondissant sa réflexion à ce sujet, la critique expose les pulsions qui animent et motivent Picasso dans son travail répétitif. Il y en a deux au total. La première s'appelle « pulsion d'emprise » (Bemächtigungstrieb)

32. Georges Braque, « Pensées et réflexions sur la peinture », Nord-Sud, décembre 1917. Cité dans l'ouvrage de Honour Hugh (op. cit., p. 733).

33. Marius De Zayas, cité dans Honour Hugh, op. cit. p. 735.

34. Ce tableau met en scène des femmes complètement nues aux corps démembrés, fragmentés et découpés sous tous leurs angles.

35. Nous paraphrasons ici la réflexion que propose Murielle Gagnebin dans le chapitre « Picasso iconoclaste » de son ouvrage L'irreprésentable ou les silences de l'œuvre, Paris, PUF, coll. « Écriture », 1984, p. 124-136. Les passages cités précédemment sont extraits de la p. 106.

36. « Le mode d'être de la pulsion tient précisément de la répétition » (ibid., p. 128).

et vise l'objet qui est peint[37]. Elle a pour but de «dominer l'objet par la force[38]». Il s'agit donc d'une pulsion de «pouvoir» qui pousse Picasso à s'emparer de l'œuvre de Delacroix, dans l'objectif de la faire sienne et de la dominer. Autrement dit, dans le «Même», dans le tableau *Femmes d'Alger* de Delacroix, Picasso introduit quelque chose d'«Autre[39]» provenant de sa personnalité artistique et qui consiste en sa propre signature[40]. La deuxième pulsion s'appelle «pulsion de maîtrise» (*Bewältigungstrieb*) et vise cette fois l'excitation du sujet qui est peint[41]. Après la «prise» de la femme, après son exploration multivectorielle à travers le travail, l'exercice des dessins préparatoires, Picasso acquiert une véritable connaissance et donc, une complète maîtrise de son sujet pictural. En ce sens, il réussit mieux le projet amorcé par Delacroix, puisque son esthétique de la répétition lui permet, contrairement à ce dernier, d'accéder à un savoir «intérieur», *a priori* refoulé de la femme algérienne, en le dévoilant et en le libérant. En contemplant le tableau de Picasso, Djebar affirme en février 1979 : «Je n'espère que dans la porte ouverte en plein soleil, celle que Picasso [...] a imposée, une libération concrète et quotidienne des femmes[42].» Ces paroles montrent que, finalement, aux yeux de Djebar, le peintre cubiste réussit à affranchir complètement les femmes d'Alger — ayant atteint par là l'objectif qu'elle-même s'est fixé.

«Femmes d'Alger» : à la croisée du texte et de l'image

La nouvelle «Femmes d'Alger» est divisée en quatre parties. Les première et deuxième parties présentent une journée dans la vie d'un couple qui réunit Sarah et Ali, un chirurgien[43]. Le récit débute le matin dans un appartement. Ali se réveille après avoir cauchemardé sur une opération

37. Voir Murielle Gagnebin, *op. cit.*, p. 129.

38. *Ibid.*, p. 127-128.

39. Cette notion est aussi développée dans le texte de Murielle Gagnebin, *op. cit.*, p. 129.

40. À savoir des «formes attaquées», des «silhouettes hérissées», etc. Nous reprenons ici les mots de Murielle Gagnebin (*op. cit.*, p. 128). Remarquons par ailleurs que le rapport qu'entretient Picasso avec son héritage pictural ressemble à un véritable combat, une sorte de joute, puisque le peintre répond à la peinture de Delacroix de manière très agressive, violente et brutale.

41. Murielle Gagnebin, *op. cit.*, p. 129.

42. Assia Djebar, «Postface», *op. cit.*, p. 164.

43. Il faut noter que ces personnages sont rarement appelés à être ensemble, voire à se croiser et à se parler. La plupart du temps, leurs univers ne se recoupent pas. La relation qui unit Delacroix aux femmes d'Alger trouve des échos dans celle d'Ali et de Sarah, puisque le peintre vit aussi dans un monde parallèle à celui de ses modèles.

de vésicule qu'il doit réaliser plus tard à l'hôpital. Sarah se réveille également et reçoit un coup de fil d'une amie en détresse, Anne, qui a essayé de se suicider chez elle. Sarah vole aussitôt à son secours. La troisième partie de la nouvelle rassemble Sarah, Anne et d'autres amies dans un *hammam* lors d'un moment de détente et de conversation qui est bouleversé par la chute sur une dalle de la porteuse d'eau Fatma. Cette dernière est transportée d'urgence à l'hôpital pour y être opérée. La quatrième et dernière partie, enfin, prolonge cet incident dans une série de discussions entre femmes qui se remémorent leur passé. Ces conversations débouchent sur l'image d'un tableau.

Trois types d'espaces sont donc représentés dans la nouvelle : des espaces réels (pièces d'un appartement, salle d'opération d'un hôpital, bain public, etc.), irréels (c'est-à-dire à caractère onirique, le rêve ou le cauchemar d'Ali en est un exemple) et mémoriels (les personnages féminins se souviennent de leur passé).

Deux scènes respectivement tirées de la première et de la troisième partie de la nouvelle «Femmes d'Alger» nous intéresseront ici : l'une propose la mise en récit d'un cauchemar au cours duquel il est possible de voir comment Djebar passe de la peinture de Delacroix à l'écriture du texte éponyme, alors que l'autre effectue la mise en récit de souvenirs partagés entre des femmes qui se délassent, nues, dans un bain public, espace à travers lequel Djebar pratique une écriture ayant des affinités avec la technique de travail de Picasso.

La première partie de la nouvelle s'ouvre sur le récit d'un mauvais rêve :

> Tête de jeune femme aux yeux bandés, cou renversé, cheveux tirés — le brouillard de la pièce étroite empêche d'en voir la couleur — ou châtain clair, plutôt auburn, serait-ce Sarah? non, pas noirs... La peau semble transparente, une perle de sueur sur une tempe... La goutte va tomber. Cette ligne du nez, la lèvre inférieure à l'ourlet rose vif: je connais, je reconnais[44] !

Ali s'apprête à opérer son épouse Sarah. Or, même si c'est le corps de sa conjointe qui est étendu devant lui, le chirurgien met du temps à le reconnaître. Quoique cette femme soit décrite physiquement avec beaucoup de précision (sa tête, son visage plus particulièrement), elle semble, à première vue, à peine reconnaissable. Un étrange brouillard vient troubler la réalité des choses présentes dans le cauchemar. Plus loin, le texte se poursuit ainsi :

---

44. Assia Djebar, *Femmes d'Alger dans leur appartement*, *op. cit.*, p. 11.

[…] hommes au torse nu, au masque d'infirmier sur la bouche (non, pas
«mes» infirmiers […], […] la table se découvre avec des flacons suspendus,
et des tuyaux, un matériel de cuisine?… «Ma» table, «ma» salle, non, je
n'opère pas car je ne suis pas là, à l'intérieur […], je regarde, mais je ne suis
pas avec eux, Sarah se réveillera-t-elle, début ou fin de l'opération[45] […].

Le chirurgien ne réussit pas à opérer sa femme efficacement. Si Sarah
porte un mal en elle, il ne peut l'identifier, l'extraire de son corps, bref,
le rendre visible. Avec lui le mal persiste et la guérison est incertaine. Il
n'arrive pas à faire bon usage de tous ses moyens. Il n'est guère maître
de la situation. C'est à peine s'il reconnaît son matériel chirurgical qu'il
confond avec un matériel de cuisine. Il est peu à peu dépossédé de ses
outils, même de ses confrères : ses infirmiers tout à coup ne sont plus
les siens. Totalement extérieur à la situation, il demeure presque absent
dans cet intérieur, dans cette salle étroite où peu de réalités lui sont
accessibles. L'opération n'est pas complètement réalisée. Les seuls éléments qu'il réussit à reconnaître proviennent d'un espace extérieur qui
n'a rien à voir avec le lieu où il se trouve. Elles ne peuvent aider le
chirurgien à se ressaisir et le personnage ne semble pas s'en rendre
compte. Il se laisse distraire par ces bagatelles. Il erre dans un «ailleurs»
qui le captive et le capture, qui lui fait ignorer le malaise dans lequel il
se trouve.

Cet univers extérieur finit même par prendre tellement de place
dans la vision du chirurgien qu'il anéantit devant ses yeux tout ce qui
se passe dans la salle d'opération. Ali ne voit donc pas la réalité en face.
Sa performance chirurgicale interrompue, nul sentiment désagréable
ne l'habite et toute forme d'interrogation ou d'incertitude semble avoir
été refoulée dans son inconscient : «Enfin les bruits, quel répit : la campagne serait là, tout près, par la lucarne ouverte, quelque douar. […] la
lucarne s'est élargie, un ciel tout blanc, comme peint, un ciel neuf,
silencieux lui aussi, qui s'agrandit au-dessus des infirmiers, non, des
techniciens, ciel qui va les anéantir[46]. » Ce cauchemar évoque l'expérience
de Delacroix telle que nous l'avons décrite plus haut. Tout comme
l'artiste romantique qui, on l'a vu, n'a pas totalement su reconnaître la
femme algérienne ni même la douleur intérieure qu'elle éprouve en
tant que prisonnière du harem et du silence, le chirurgien n'a pas su
reconnaître ni opérer sa femme et mettre au jour le mal qui l'habite.
Pour ces deux hommes, la femme est un objet de regard sous le pinceau
et sous le bistouri, objet qui demeure essentiellement inaccessible.

45. *Ibid.*, p. 11-12.
46. *Ibid.*, p. 12.

Dans le cas du peintre comme dans celui du chirurgien, les seules choses reconnaissables sont extérieures à leur contexte de travail fictif et réel : l'histoire racontée par le tableau dans le cas de Delacroix met en effet l'accent sur l'aspect extérieur de la femme et le cauchemar d'Ali propose un récit qui, *a priori*, met également l'accent sur la reconnaissance physique de celle-ci. On sait par ailleurs que Delacroix demeure trop extérieur à la situation d'enfermement des *Femmes d'Alger* dont il ne rend que l'aspect décoratif. Le chirurgien Ali reste aussi extérieur à sa salle d'opération où gît sa femme et ne perçoit que ce qui se passe derrière la lucarne. Il convient de souligner que ce qui est entrevu derrière la lucarne, à savoir le ciel à l'extérieur de la salle d'opération, est « comme peint ». Le verbe « peindre » renvoie au fait que ce qui a été peint chez Delacroix appartient aussi davantage à un monde extérieur qu'à un univers intime, l'Algérienne étant dans le tableau présentée comme un objet et non comme un sujet suceptible d'avoir une vie intérieure.

Les procédés d'écriture qu'emploie Djebar ici et qui lui permettent de médiatiser l'expérience picturale de Delacroix à travers le récit des faits et gestes du chirurgien Ali sont la condensation et le déplacement. Ces modes d'expression caractéristiques du rêve permettent à Djebar de passer de la peinture de Delacroix à la rédaction de la nouvelle « Femmes d'Alger ». Dans le récit du cauchemar, il y a condensation puisque la figure, le rôle et l'expérience picturale de Delacroix sont transposés, médiatisés à travers le personnage du chirurgien Ali et ses fonctions. Il y a, par ailleurs, déplacement dans le tableau de Delacroix comme dans le cauchemar, puisque l'un et l'autre ignorent plus ou moins l'essentiel (c'est-à-dire ce qui fait intérieurement partie de la femme) au profit de réalités extérieures.

Au cours de la troisième partie de la nouvelle, la nécessité de se libérer de la douleur intérieure prend figure à travers la métaphore de l'eau. Parler de soi à autrui, dire la souffrance de l'emprisonnement et du silence, cela signifie pour la femme se dénuder et se laver de toutes les saletés qui ont souillé sa vie. C'est dans le contexte du bain public que Djebar rassemble ses sœurs algériennes pour les offrir nues au regard masculin. Dans le bain, les femmes parlent d'elles-mêmes et de leur funeste passé, se libèrent de leurs souffrances secrètes trop longtemps refoulées : « La liberté qui sort de la chambre chaude ! […] Retrouver l'eau qui court, qui chante, qui se perd, elle qui libère[47] », s'écrit l'une des femmes présentes au bain.

47. *Ibid.*, p. 41.

Fatma, la masseuse et la porteuse d'eau du bain, est un personnage majeur de ce point de vue. Elle masse toutes les femmes d'Alger, les lave et entend leurs conversations. Le jour où elle se casse le bras en glissant sur une dalle, elle s'évanouit et une ambulance vient alors saisir son corps nu pour le transporter à l'hôpital. Ce corps d'Ève est pétri des mots entendus et recueillis au bain. Lorsque Fatma circule dans Alger, ses pores s'ouvrent et laissent s'échapper tous ces mots. Cela sans compter que durant son évanouissement, sa voix inconsciente se libère aussi pour raconter son propre passé par bribes : « Mots libérés à la suite de mon corps de vieille […]. Mots du harem transparents de vapeur […], je circule, moi la femme, toutes les voix du passé me suivent, voix multiples[48]. » Dans une seule figure, celle de Fatma, de sa voix, se retrouvent donc condensées plusieurs autres figures, celles des femmes d'Alger, de leurs voix.

Un tableau doit ressortir de tout cela. Celui de Djebar. C'est Sarah qui l'exhibe sous nos yeux en le décrivant à Anne à la toute fin de la nouvelle : « […] contempler la ville quand s'ouvriront toutes les portes… Quel tableau alors ! Jusqu'à la lumière qui en tremblera[49] ! » Sur ce tableau, les femmes sont dehors en plein cœur d'Alger, les yeux grand ouverts, offertes à la lumière du jour, éclatantes de vérité. En dévoilant leur passé et leurs secrets douloureux, les femmes ont pu à la fois se libérer du silence, mais aussi de leur harem, de leurs appartements…

Un tel tableau n'est pas sans rappeler celui de Picasso, qui donne en effet aussi à voir des personnages féminins libérés de leurs espaces d'enfermement. Sorties de leurs cloîtres, ces femmes s'affichent physiquement à la vue de tous de la même manière et sont également imprégnées d'une lumière éblouissante. En contemplant la toile de Picasso, Djebar écrit dans la « Postface » de son recueil : « Libération glorieuse de l'espace, réveil des corps […]. […] il n'y a plus de harem, la porte en est grande ouverte et la lumière y entre ruisselante[50] […]. »

Il faut en outre mentionner que Les femmes d'Alger de Picasso sont représentées nues, sans vêtements et sans voiles, à l'image des femmes rencontrées au hammam lors de la troisième partie de la nouvelle. Le thème de la nudité permet donc de rapprocher le tableau de Picasso de celui qui ressort en conclusion de la nouvelle « Femmes d'Alger ». Djebar écrit encore dans la « Postface » :

48. Ibid., p. 46-47.
49. Ibid., p. 62.
50. Assia Djebar, « Postface », op. cit., p. 162.

Enfin les héroïnes [...] y sont totalement nues, comme si Picasso retrouvait la vérité du langage usuel qui, en arabe, désigne les « dévoilées » comme des « dénudées ». Comme s'il faisait aussi de cette dénudation non pas seulement le signe d'une émancipation, mais plutôt celui d'une renaissance de ces femmes à leurs corps[51].

La toile de Picasso révèle par ailleurs, on l'a vu, une esthétique formelle de la fragmentation. Le peintre cubiste a effectivement travaillé ses *Femmes d'Alger* en démantelant et en désarticulant leurs corps. Or il se trouve que dans la nouvelle « Femmes d'Alger », les thèmes de l'éclatement et de la fragmentaiton se manifestent aussi, tant dans la forme que dans le contenu.

Durant la troisième partie de la nouvelle, les personnages féminins du *hammam* ont l'occasion de converser longuement. Même après l'accident de Fatma, ces mêmes personnages, qui se retrouvent ensemble à l'hôpital pour assister la pauvre femme blessée, continuent de discuter. À un moment précis, les dialogues ont pour sujet l'épisode des Algériennes porteuses de bombes qui ont lutté aux côtés de leurs frères de race sur le champ de bataille lors de la guerre d'indépendance d'Algérie. On peut lire à ce propos dans le recueil :

> Où êtes-vous les porteuses de bombes ? [...] vous mes sœurs qui aurez dû libérer la ville [...]. Les fils barbelés ne barrent plus les ruelles [...], les doigts portent des bombes comme des oranges. Explosent tous les corps [...] ... Se déchiquètent les chairs [...]. Les bombes explosent [...], mais contre nos ventres [...]. Elle dévoila la cicatrice bleue au-dessus de son sein, qui se prolongeait jusqu'à l'abdomen [...] corps décharné [...], tête toute en angles, presque de morte[52]...

Cette citation comporte de nombreuses références qui renvoient au contenu, mais aussi à l'aspect formel des *Femmes d'Alger* de Picasso. D'un côté, il y a ce désir, cette nécessité de faire sortir les Algériennes de leurs cloîtres et d'un autre côté, il y a ces bombes qui font éclater tous les espaces ainsi que tous les corps féminins pour les donner à voir sous leurs moindres angles. L'idée de fragmentation est clairement véhiculée ici et recoupe la courte lecture formelle que fait Djebar du tableau de Picasso, toujours dans la « Postface » de son recueil :

> Picasso [...] fait éclater le malheur [...], éclatement improvisé dans un espace ouvert. [...] les seins éclatent. [...] Deux ans après cette intuition d'artiste, est apparue la lignée des porteuses de bombes, à la bataille d'Alger.

---

51. *Ibid.*, p. 163.
52. Assia Djebar, *Femmes d'Alger dans leur appartement, op. cit.*, p. 54-55.

[…] Il s'agit de se demander si les porteuses de bombes, en sortant du harem, ont choisi par pur hasard leur mode d'expression le plus direct : leurs corps exposés dehors […]? En fait elles ont sorti ces bombes comme si elles sortaient leurs seins, et ces grenades ont éclaté contre elles, tout contre[53].

Djebar interprète le travail « éclaté » de Picasso comme une préfiguration des événements qui ont marqué la guerre d'indépendance d'Algérie deux ans plus tard. *Les femmes d'Alger* de Picasso explosent en 1955. Leurs seins éclatent comme des bombes et provoquent la déconstruction de leur être ainsi que de tout espace alentour. Les Algériennes explosent aussi en 1957, mais cette fois parce qu'elles portent de vraies bombes à la hauteur de leur poitrine pour défendre leur pays contre l'envahisseur français. Tous ces éléments figurent dans la troisième partie de la nouvelle « Femmes d'Alger » et nous autorisent ainsi à établir d'autres rapprochements entre le tableau qui ressort de la nouvelle et celui de Picasso.

L'univers chaotique de la toile traduit bien l'intériorité complexe et bouleversée qui habite les personnages féminins du récit, soucieux de se libérer de leurs souffrances. Baya, une des femmes présentes dans le *hammam*, se demande lors d'une discussion : « Que casser en moi, ou à défaut en dehors de moi[54] […]? » Cette envie de briser son monde intérieur ou alors celui qui l'entoure témoigne de la colère qui l'anime en tant que femme ayant connu les contraintes du silence forcé et de la claustration. Casser ces espaces étouffants lui permettrait enfin d'en sortir et l'idée de la cassure est typique de la réalisation du tableau *Femmes d'Alger* de Picasso. Pour finir, Fatma[55] murmure occasionnellement par bribes éparses et désorganisées un discours sur son existence passée qui fut, à l'image du passé de toute autre Algérienne, plutôt chaotique. Les procédés typographiques qu'utilise Djebar pour rendre compte de ce discours mettent efficacement en forme son aspect « émietté » : des paragraphes sont ici et là placés en retrait par rapport au texte principal ; ils sont aussi entrecoupés de passages soulignés en italique. Cet agencement textuel irrégulier rappelle de toute évidence

---

53. Assia Djebar, « Postface », *op. cit.*, p. 162-163.
54. Assia Djebar, *Femmes d'Alger dans leur appartement, op. cit.*, p. 41.
55. Nous pourrions aussi parler du personnage du chirurgien qui est très souvent présent dans la nouvelle, car Picasso a également été surnommé le « chirurgien » de la peinture par Apollinaire en raison de la manière dont il dissèque les formes qu'il représente en fragments divers. Mais lors de notre analyse de la nouvelle « Femmes d'Alger », nous avons plutôt reconnu la figure de Delacroix dans le personnage du chirurgien Ali, puisque ces deux hommes incarnent davantage des pseudo-chirurgiens qui ne pratiquent pas efficacement leur « métier » à certains niveaux.

l'esthétique cubiste des *Femmes d'Alger, d'après Delacroix*. Et si l'on se penche enfin sur la structure générale de la nouvelle qui, loin de former une unité, est sectionnée en quatre parties distinctes, on peut également y déceler une pratique de la fragmention.

Dans la nouvelle « Femmes d'Alger », les personnages féminins sont donc animés et motivés par des pulsions qui ressemblent à celles qui ont habité Picasso lors de son travail pictural. Ils reprennent sans cesse leur passé pour le répéter eux aussi au présent. L'espace de la mémoire, du souvenir est donc l'espace médiateur qui permet à Djebar de passer de la peinture de Picasso à sa réécriture par voie textuelle. Le passé a été, pour les femmes du récit éponyme, silence. Au présent, elles introduisent dans ce « Même » silence quelque chose d'« Autre » qui leur ressemble, s'appropriant et dominant ainsi leur passé silencieux. Et cet « Autre » chose qu'elles introduisent dans le « Même » silence, c'est la voix, la parole. Celle-ci agit progressivement sur le silence de la même manière qu'agit le pinceau de Picasso sur la femme d'Alger de Delacroix : elles attaquent les formes du silence. Elles l'agressent et lui arrachent ce qu'il cache, à savoir l'identité une et multiple des femmes d'Alger. Cela donne aux personnages féminins la possibilité de « s'auto-disséquer », de mieux comprendre et maîtriser leur passé, mais aussi leur vie en général.

Djebar, Delacroix et Picasso

La question du visible entoure de près la rédaction du recueil *Femmes d'Alger dans leur appartement*. Lors de notre analyse, nous avons étudié la manière dont Djebar a médiatisé les codes picturaux de Delacroix et de Picasso dans la première nouvelle de cette œuvre. En déchiffrant d'abord ces codes au moment de sa « lecture » des tableaux, elle a ensuite créé des espaces diégétiques, façonné une esthétique littéraire qui lui a servi de filtre médiateur entre la peinture et l'écriture de son récit.

On sait que Delacroix, animé par l'amour des objets, l'ivresse du sentiment et la frénésie de l'imagination, a peint des *Femmes d'Alger* à l'image de son propre rêve. Soucieuse de donner à voir la part invisible de ces femmes « imaginées », Djebar a exploité l'espace du rêve et ses procédés d'expression pour retravailler les *Femmes d'Alger* de Delacroix et montrer ce qu'elles cachent.

Picasso, quant à lui, s'est livré à une technique de travail répétitive en proposant 14 versions des *Femmes d'Alger*. Il s'agissait là d'un exercice modulateur qui visait à fragmenter la femme afin de l'étudier sous tous ses angles. Mû par des pulsions d'emprise et de maîtrise, Picasso s'est ainsi emparé de ce que le passé pictural lui a légué — à savoir les *Femmes d'Alger* de Delacroix — pour les disséquer au pinceau et en maîtriser par conséquent chaque facette. En donnant à ses personnages féminins la possibilité de se remémorer fréquemment leur passé à voix haute au présent, Djebar a réussi à les animer des pulsions qui ont, selon Gagnebin, habité Picasso lors de son travail pictural : comme le peintre cubiste, les femmes du récit se réapproprient leur passé en le racontant de manière répétitive et fragmentaire, par bribes, et finissent ainsi peu à peu par en maîtriser le contenu. L'espace de la mémoire est donc l'espace médiateur auquel a eu recours Djebar pour établir des correspondances entre l'art du peintre cubiste et la nouvelle «Femmes d'Alger» de son recueil. Le souvenir étant également un travail mental semblable à celui du rêve et donc, de la peinture, on comprend pourquoi ces trois espaces ont pu communiquer aussi facilement et librement entre eux au sein de ce texte.

Voix et présences de femmes :
la relecture de l'histoire par Andrée Chedid

JEAN-PHILIPPE BEAULIEU

Tout se tient et se relie. Tout est de même et de commune origine[1].

À certains égards, il est tentant de considérer cet énoncé, qui figure dans l'un des ouvrages récents d'Andrée Chedid, comme l'expression du principe qui, à travers la conjonction et l'harmonisation des différences, paraît sous-tendre l'ensemble de l'œuvre, aussi bien poétique que narrative, de cette auteure. Évoquant la présence d'antinomies ou de tensions dialectiques[2], certains commentateurs ont en effet souligné la façon dont l'humanisme de l'auteure conduit en fin de compte à une résolution — au moins partielle — de ces tensions au profit d'une coexistence des différences, assurée par la « fraternité de la parole » chedidienne[3]. Il serait toutefois présomptueux de réduire à une seule formule un ensemble textuel aussi ample et varié que celui de Chedid, qui compte une vingtaine de titres : recueils de poèmes, romans et récits, recueils de nouvelles et pièces de théâtre. Loin de vouloir abolir les altérités en les soumettant à une visée naïvement humaniste et pacifiste, l'auteure paraît fascinée, dans ses récits, par le miroitement des différences[4]. Se trouvent donc projetées, sur la scène diégétique, des

---

1. Andrée Chedid, *Lucy. La femme verticale*, Paris, Flammarion, 1998, p. 66.

2. Jean-Pierre Siméon, « *À la mort à la vie* : la lumière et l'obscur », dans Sergio Villani (dir.), *Andrée Chedid. Chantiers de l'écrit*, Ottawa, Albion, 1996, p. 233.

3. Le titre même de l'ouvrage à paraître de Jacqueline Michel, *Andrée Chedid : une quête de l'humanité* (Publisud), confirme la pertinence et la prégnance de cette lecture de l'œuvre chedidienne.

4. Au sujet de la sensibilité de Chedid à l'altérité, on consultera André Miguel, « Andrée Chedid et la transcendance du visage, des visages », *Sud*, n°s 94-95, 1991, p. 49-53.

altérités que la communauté d'expérience tend toutefois à rapprocher. Ainsi chrétiens et musulmans, Occidentaux et Orientaux, hommes et femmes, jeunes et vieux ont-ils souvent l'occasion de surmonter leurs différences et leurs différends. C'est probablement *L'autre* qui donne à voir de la manière la plus claire, mais aussi la plus abstraite, la mise en rapport d'univers distincts. En effet, dans ce roman paru en 1968, rien n'est susceptible de réunir les deux personnages principaux, qui sont étrangers l'un à l'autre dans tous les sens du terme. L'événement aléatoire que représente le tremblement de terre crée toutefois un lien entre les deux hommes; il allégorise la nécessité de la solidarité dans le malheur, solidarité d'autant plus significative qu'elle est en quelque sorte gratuite, et se réalise au nom de la fraternité humaine[5].

Une telle mise en rapport des altérités est possible parce que, selon Chedid, il y a chez l'humain, par-delà les distances culturelles et personnelles, un «visage premier», modelé par les «épreuves du vivant[6]», qui fonde tous les autres et qu'il s'agit de retrouver ou de remodeler par l'écriture. Que ce visage revête souvent les traits d'une femme ou d'un enfant, cela n'est pas indifférent, puisque le statut marginal de ces êtres leur confère à la fois une vulnérabilité et une force tranquille qui, paradoxalement, fait de ces absents du discours de l'histoire — et de l'histoire des discours — les agents du changement et de la conciliation. On pense immédiatement à Ammal et Myriam dans la tourmente de la guerre civile que met en scène *La maison sans racines* (1985). Il est d'ailleurs intéressant de constater que ce sont justement des figures de femme et d'enfant qui accueillent en elles-mêmes les altérités, affichant de ce fait une identité hybride[7]. C'est le cas de la jeune Sybil, Libanaise d'origine mais Américaine d'adoption, dans *La maison sans racines*. De façon plus nette, on peut observer une telle complexité identitaire chez Aléfa (*La cité fertile*, 1972) ou Omar-Jo, le jeune Libanais mutilé par la guerre (*L'enfant multiple*, 1989[8]), variations sur le thème de la conjugaison du simple et du multiple.

---

5. La constance de cette préoccupation pour l'affirmation de la ressemblance dans la différence se confirme par la parution récente d'un poème intitulé «L'Autre» (dans *Rythmes*, Paris, Gallimard, 2002, p. 93).

6. Ces expressions correspondent au titre de deux recueils poétiques de Chedid inclus dans *Poèmes pour un texte (1970-1991)*, Paris, Flammarion, 1991, p. 11 et 179.

7. À ce sujet, consulter Joëlle Vitiello, «L'identité hybride dans les romans d'Andrée Chedid», dans Lucie Lequin et Maïr Verthuy (dir.), *Multi-culture, multi-écriture. La voix migrante en France et au Canada*, Paris/Montréal, L'Harmattan, 1996, p. 219-227.

8. L'onomastique associée à ces personnages suggère bien leur complexité: féminisation de la lettre arabe *alef*, Aléfa possède des connotations en arabe et en français (voir Antoine Sassine, «L'onomastique symbolique dans *La cité fertile*: le cas d'Aléfa», dans

La réécriture est sans nul doute l'une des voies par lesquelles l'œuvre de Chedid convoque les altérités afin de les faire dialoguer et coexister, au sein d'une écriture qui, sans revendiquer sa « généricité[9] », n'en est pas moins une écriture féminine, ne serait-ce que par l'importance qu'elle accorde aux figures de femmes, et ce, dès *Le sommeil délivré* de 1952. Si les personnages féminins occupent ainsi l'avant-scène de nombreux textes chedidiens[10], c'est essentiellement dans les quatre longs récits dont l'action se déroule dans un passé lointain ou légendaire qu'ils sont associés à la réécriture, devenant les vecteurs d'une relecture de l'histoire où les femmes trouvent enfin une place, et non la moindre. Ces récits sont *Nefertiti ou le rêve d'Akhnaton* (1972), *Les marches de sable* (1981), *La femme de Job* (1993) et *Lucy. La femme verticale* (1998)[11].

Précisons d'emblée que, si la réécriture n'est pas absente des autres textes, il est généralement difficile d'y sentir les traces précises d'un jeu intertextuel. Les analystes l'ont souligné à plusieurs reprises : l'écriture chedidienne, peut-être en raison du souffle poétique qui l'anime, intègre ses matériaux de façon très souple. L'esthétique postmoderne, même si elle se fait parfois sentir, comme dans *L'autre* ou *La cité fertile*, cède toujours le pas à une force unificatrice qui ne cherche guère, en fin de compte, à laisser voir la marqueterie des emprunts et des effets intertextuels[12]. Dans le cadre de la production chedidienne, il faut donc entendre la réécriture comme une opération très libre d'assimilation ou de conversion d'un matériau historique ou légendaire qui intéresse l'auteure surtout pour son pouvoir d'évocation et les prolongements qu'il autorise. La réécriture semble ainsi représenter une occasion de dire ce qui n'a pas été proféré, en d'autres mots, de combler les silences

Sergio Villani [dir.], *op. cit.*, p. 199-209). Quant à Omar-Jo, son nom même (Omar + Joseph) réunit les cultures musulmane et chrétienne.
    9. Renée Linkhorn, « Andrée Chedid : quête poétique d'une fraternité », *The French Review*, vol. LVIII, nº 4, 1985, p. 560.
    10. Sur les douze romans et récits qu'elle recense en 1996, Renée Linkhorn (« "Debout dans mon présent" : la femme dans l'œuvre d'Andrée Chedid », dans Sergio Villani [dir.], *op. cit.*, p. 131) remarque que huit ouvrages donnent la priorité à des personnages féminins.
    11. Andrée Chedid, *Nefertiti ou le rêve d'Akhnaton. Les mémoires d'un scribe*, Paris, GF-Flammarion, 1988 ; *Les marches de sable*, Paris, J'ai lu, 1981 ; *La femme de Job*, Paris, Maren Sell/Calmann-Levy, coll. « Petite bibliothèque européenne du xxᵉ siècle », 1993 ; *Lucy. La femme verticale*, Paris, Flammarion, 1998. Dorénavant, les renvois à ces éditions seront désignés respectivement à l'aide des sigles (*N*), (*MS*), (*FJ*), (*L*), suivis du numéro de la page.
    12. Il y a lieu, toutefois, de nuancer les lectures soulignant l'homogénéité de l'œuvre chedidienne en constatant la richesse de ses inflexions formelles et thématiques (voir Jean-Philippe Beaulieu et Suzanne Tomek, « Réécriture et évolution romanesque dans les dernières œuvres d'Andrée Chedid », *New Zealand Journal of French Studies*, vol. XIV, nº 2, 1993, p. 36).

de la mémoire collective. C'est donc dans les creux des discours anté-rieurs que s'investit la parole chedidienne, véritable «chaudron cen-tral» où les altérités finissent par se côtoyer dans un déploiement du multiple qui représente la caractéristique centrale de l'être humain[13]. Il s'agit moins de simplement refaire, ou de contrefaire, le discours histo-rique que de le prolonger ou de suppléer à ses manques, de le com-plexifier, en quelque sorte, par l'ajout d'une perspective différente : celle des femmes[14]. La réécriture que pratique Chedid relève donc rare-ment de la citation ; elle consiste plutôt en une forme de relecture des traditions et des événements qui privilégie souvent le regard, la voix ou l'action des femmes. Cette attention particulière portée aux destins féminins ne s'exprime pas à l'exclusion des personnages masculins, loin de là, comme le montre bien la double référence onomastique qui forme le titre de *Nefertiti ou le rêve d'Akhnaton*. Mais l'absence de voix féminines dans les discours de/sur l'histoire semble avoir poussé Chedid à proposer, par la fiction, une reconstitution des propos qu'auraient pu tenir ces voix. À cet égard, il est intéressant de constater, dans les quatre récits que l'on pourrait qualifier d'historiques, un infléchissement de l'intérêt de l'auteure vers des figures féminines dont la parole est de plus en plus problématique (la femme de Job, dont Chedid étend considéra-blement le registre discursif) ou improbable (Lucy, l'australopithèque à qui l'on attribue un langage articulé). C'est à cette reconstitution de voix historiquement marginales que s'attacheront les pages suivantes, en s'attardant tout particulièrement aux deux derniers récits qui, en raison de leur parution récente, ont fait l'objet de fort peu de commentaires critiques.

Les romans «historiques» de Chedid parus dans les années 1970 et 1980 mettent au premier plan des figures féminines avérées, comme la reine Nefertiti, ou probables, telles Cyre, Marie et Athanasia, les trois protagonistes de l'Égypte chrétienne des IIIe et IVe siècles que l'on trouve dans *Les marches de sable*. C'est moins l'histoire égyptienne pro-prement dite qui intéresse l'auteure que le déploiement des possibles auquel elle peut donner lieu. Parce qu'il est souple, le cadre historique choisi se révèle peu contraignant. Soumis au régime narratif qui est

13. La notion de pluralité, qui traverse l'œuvre de Chedid, s'exprime très clairement dans un poème récent intitulé «Multiple» (dans *Rythmes, op. cit.*, p. 43).
14. Dans le domaine de la relecture et de la réécriture, cette idée du complément ou du surplus n'est pas sans recouper ce qu'affirme Françoise Rétif («Préface» à Marianne Camus et Françoise Rétif [dir.], *Lectures de femmes. Entre lecture et écriture*, Paris, L'Harmat-tan, 2002, coll. «Bibliothèque du féminisme», p. 13) au sujet de la capacité d'accueil de certains textes de femmes.

celui du roman poétique[15], il devient l'occasion d'inscrire, dans un cadre temporel précis, une réflexion plus universelle. Le passé est ainsi l'objet d'un réinvestissement qui, sans faire violence à l'histoire, souligne la relative constance de l'expérience humaine et de ses idéaux.

Dans *Nefertiti*, à travers l'instauration du monothéisme, c'est un idéal de liberté, de justice et de tolérance qui est mis en scène[16]. Si cet idéal est compromis, après la disparition du pharaon réformiste Akhnaton, par les actions du général Horemheb, il revient à Nefertiti d'en faire vivre le souvenir, grâce aux mémoires qu'elle dicte au scribe Boubastos. La reine apparaît ainsi non seulement comme une protagoniste de l'histoire, mais également comme l'analyste et la chroniqueuse de celle-ci, à la lumière du rôle privilégié qui a été le sien auprès de son mari. Personnage sur lequel se focalise le récit[17], Nefertiti assure, par sa parole, la récapitulation et la survie d'un rêve utopique dont il ne subsiste que des ruines. L'auteure fait ainsi accéder la reine à un statut historique mieux défini que celui attesté par les documents qui nous sont parvenus[18]. Figure-clé de l'histoire de la xviiie dynastie, Nefertiti devient un être tangible et complexe, comme le révèle son acte de parole, témoignant d'une distance réflexive qui relève d'une sensibilité plutôt moderne. Devant les choix que lui offre le roman historique, Chedid opte résolument pour une réécriture du passé qui, à travers une figure féminine connue mais indéterminée, s'ouvre sur des enjeux dépassant la stricte historicité du cadre choisi. Il ne faut donc pas s'étonner d'entendre Nefertiti affirmer : « L'histoire nous enserre […]. L'histoire nous empoigne, dès notre venue au monde. Il n'est pas indifférent d'être né ici ou ailleurs, dans ce temps ou dans un autre, parmi ceux-ci ou bien ceux-là. Pourtant l'esprit sait rompre l'enveloppe » (*N*, 48). Grâce à la conscience élargie qui est la sienne, la reine rend compte à la fois des déterminismes de son époque et de la force d'un idéal, dont « l'esprit » peut dépasser « les limites étroites du temps » (*N*, 48). À la fin du roman, sa vision « moins resserrée » des événements lui permet d'ailleurs de postuler la contraction du continuum temporel, lorsqu'elle affirme que « le passé […] n'est plus qu'avenir » (*N*, 214). Biographie d'Akhnaton et autobiographie de Nefertiti, le récit cherche donc à brosser le portrait

15. Au sujet du roman poétique, voir Roger Pieroni, « Dérive poétique du roman : Nefertiti ou le rêve d'Akhnaton », dans Sergio Villani (dir.), *op. cit.*, p. 89 et suiv.

16. J. D. Mann, « Andrée Chedid », dans William Thompson (dir.), *The Contemporary Novel in France*, Gainesville, University Press of Florida, 1995, p. 240-241.

17. Bettina Knapp, *Andrée Chedid*, Amsterdam, Rodopi, 1984, p. 40.

18. Aziza Soliman, « Introduction » à *Nefertiti ou le rêve d'Akhnaton*, *op. cit.*, p. 15.

et l'histoire du couple à travers le regard de la reine. Loin de ressembler à une peinture ancienne, le tableau qui en résulte est façonné par des procédés de prose poétique donnant au discours romanesque une couleur plus mythique qu'historique[19].

La transhistoricité dont fait preuve *Nefertiti* se manifeste aussi, mais autrement, dans *Les marches de sable*. Ainsi, derrière les événements violents qui constituent la trame de ce roman, on peut sentir se profiler, sur le mode analogique, la tragédie de la guerre du Liban[20], elle-même emblématique des conflits causés par le fanatisme religieux et l'intransigeance des intérêts claniques. Plus que l'intérêt pour l'histoire elle-même, c'est le dialogue entre passé lointain et passé récent qui motive probablement une telle relecture du passé. Dans son étude consacrée aux *Marches de sable*, Rachel Bouvet souligne le respect par l'auteure d'un certain nombre de paramètres historiques, tout en notant des écarts quant à ce qui est attendu, principalement en ce qui a trait aux femmes anachorètes que sont Cyre, Marie et Athanasia et à leur expérience spirituelle du désert[21]. En effet, l'imaginaire chrétien nous a habitués à certaines images, dont celle de la femme anachorète ne fait guère partie, pas plus d'ailleurs que celle du bourreau chrétien exterminant les païens. Selon Bouvet, on trouve, à la base de la réécriture, un « mécanisme d'inversion » (par exemple, le remplacement de l'image du martyr chrétien par celle, inhabituelle, du tortionnaire chrétien) qui est mis au service d'« une dénonciation très nette du fanatisme, quel qu'il soit[22] », dénonciation similaire, à mon avis, à celle que l'on trouve dans les romans relatifs à la guerre du Liban : *La maison sans racines*, *L'enfant multiple* et peut-être même, de façon plus abstraite, *Le message* (2000), qui mettent en scène des destins de femmes et d'enfants dans la folie meurtrière des troubles sociaux et politiques[23]. Trouvant dans *Cérémonial de*

19. Roger Pieroni (*loc. cit.*, p. 94 et suiv.) signale tout particulièrement la façon dont les descriptions sont tributaires des procédés.

20. Georges-Emmanuel Clancier, « Roman et poésie avancent sur les mêmes marches de sable », *Sud*, n°s 94-95, p. 106.

21. Rachel Bouvet, « Désert, exil et métamorphose dans *Les marches de sable* d'Andrée Chedid », *Études francophones*, vol. XV, n° 2, 2000, p. 34-35.

22. *Ibid.*, p. 35.

23. Il est intéressant de constater que, au sein des récits se rapportant au conflit libanais, Chedid semble avoir procédé à une forme de réécriture qui développe, dans un cadre romanesque, la matière présente dans certaines nouvelles parues antérieurement ; à ce sujet, consulter Jean-Philippe Beaulieu et Suzanne Tomek, « Réécriture et évolution romanesque », *loc. cit.*, de même que « De la photographie au théâtre : le travail de la métaphore structurante dans *La maison sans racines* et *L'enfant multiple* », dans Sergio Villani (dir.), *op. cit.*, p. 245-251. Il me semble que, de plus d'un point de vue, *Le message* peut être considéré comme la reprise d'un matériau narratif analogue.

la violence, recueil poétique paru en 1976, son expression la plus véhémente, cette dénonciation est projetée dans l'histoire, pour souligner à quel point, « [d]ans la spirale des âges », « les hommes dévastent la terre[24] ». Ce constat sombre propose une relecture du passé qui voue l'humain à l'expérience de la douleur et de la violence, mais aussi — lueur d'espoir — au réconfort de la solidarité et de l'amitié. Contrairement à ce que l'on pourrait penser, la revendication des intérêts particuliers ne mène pas nécessairement au conflit, selon Chedid. Certes, comme ses romans l'illustrent, la soudaine radicalisation des altérités — c'est le cas du Liban des années 1970 — déclenche une violence qui semble ne pas connaître de fin. La différence n'exclut toutefois pas la coexistence ; voilà un postulat que l'œuvre de Chedid illustre de diverses manières et qui, dans la réécriture de l'histoire, ancienne ou récente, devient un axe central du développement narratif, principalement à travers les liens de solidarité qui unissent les personnages. Les exemples d'amitié, principalement féminine, abondent : Samya, Ammal, Om el Kher dans *Le sommeil délivré*, Ammal, Myriam et Kalya dans *La maison sans racines*, Cyre, Marie et Athanasia dans *Les marches de sable*. La solidarité entre femmes est non seulement ce qui permet leur survie, mais aussi, comme dans ce dernier roman, leur épanouissement spirituel et personnel, grâce à un cheminement singulier qui s'effectue essentiellement à l'écart des hommes. L'exclusion de ces derniers est d'ailleurs souvent une condition à la prise en main de leur destin par les femmes[25].

Pourtant, curieusement, dans les deux romans historiques précités, c'est par une voix masculine que l'expérience de ces femmes est transmise au lecteur. Chedid a choisi, pour *Nefertiti* et *Les marches de sable*, de confier la narration à un homme qui a connu les femmes en question et dont le témoignage écrit permettra de commémorer le destin. Dans un cas, il s'agit du scribe Boubastos qui, en plus de noter ce que Nefertiti lui dicte, ajoute ses propres commentaires, fort substantiels. Deux voix se font donc entendre dans le roman, emboîtées mais distinctes et complémentaires dans leur description du destin d'Akhnaton et de son rêve. Dans l'autre cas, c'est Thémis qui, pour faire connaître l'aventure des trois femmes, ajoute à ce qu'elles lui ont dit ce qu'il a pu « ensuite, patiemment, reconstituer » (*MS*, 12). S'il affirme parler de lui « à distance,

24. Andrée Chedid, « Les vents noirs », dans *Cérémonial de la violence*, Paris, Flammarion, 1976, p. 19.
    25. À ce propos, Joëlle Vitiello (« Friendship in the Novels of Andrée Chedid », *Symposium*, vol. XLIX, n° 4, 1995, p. 79) note, dans la production romanesque de Chedid, une progression qui va de l'exclusion des hommes par le cercle féminin à leur relative inclusion.

comme d'un étranger, d'un témoin, parfois mêlé à l'action» (MS, 12), il n'en reste pas moins celui par qui le discours historique en vient à faire état de ces trois femmes dont il s'agit de commémorer l'existence : « Pour moi [écrit-il], ces trois femmes auront fortement survécu. Je souhaite qu'elles survivent encore. Encore et plus loin, pour d'autres…» (MS, 13). Pourquoi de tels intermédiaires, qui ne se retrouvent guère dans les autres récits de Chedid ? S'agit-il d'un rappel que, en ces temps anciens, l'écriture ne pouvait être que masculine ? Par-delà les effets de polyphonie qu'il produit, ce procédé, qui n'a guère été relevé par les commentateurs, me semble reproduire et confirmer la dissociation historique, pour les femmes, entre la parole et l'écriture. Si le texte met en scène leur venue à la parole, il leur refuse encore l'accès à l'écriture. Cette volonté de ne pas entièrement vouer le récit au discours des femmes pourrait s'interpréter comme une façon auctoriale de court-circuiter, voire d'invalider le point de vue féminin. À mon avis, il faut plutôt y voir le simple constat de la prise en charge traditionnelle de la voix des femmes par les représentants du savoir et de l'écriture. L'auteure nous rappelle ainsi que, dans les contextes historiques évoqués, le processus de validation de la parole et de l'expérience féminines passe forcément par les truchements habituels du discours historiographique[26].

La situation est fort différente dans les deux derniers récits qui nous intéressent, puisque leur cadre plus légendaire que proprement historique semble avoir autorisé une mise en scène très libre et directe de la parole féminine. Ainsi, dans La femme de Job, aucun intermédiaire ne vient se glisser entre les protagonistes et les lecteurs. Rare cas de réécriture manifeste d'un texte préexistant[27], cet ouvrage reprend et développe le célèbre récit, tel qu'on le trouve dans le livre de Job. D'entrée de jeu, par son titre même, le texte de Chedid signale son désir de mettre au premier plan une figure féminine à peine esquissée dans l'Ancien Testament, qui ne lui consacre qu'un très bref verset (Jb 2, 9). Le travail de remaniement et d'amplification illustre bien le souci de Chedid de développer ce personnage anonyme afin de lui faire jouer le rôle de

26. Et ce, même si, comme le remarque Bernadette Cailler à propos de Nefertiti, il est «inconcevable qu'un scribe, sur le même papyrus, ait ajouté sa propre biographie et ses commentaires au récit de vie d'une pharaonne» (B. Cailler, «La transgression créatrice d'Andrée Chedid : Nefertiti et le rêve d'Akhnaton. Les mémoires d'un scribe», dans Martine Mathieu [dir.], Littératures autobiographiques de la francophonie, actes du colloque de Bordeaux [21-23 mai 1994], Paris, C.E.L.F.A / L'Harmattan, 1996, p. 320).

27. Notons, dans le même esprit, la nouvelle «Après le Jardin» (dans Mondes Miroirs Magies, Paris, Flammarion, 1988, p. 251-258), qui propose un prolongement et une réinterprétation de l'épisode biblique du jardin d'Éden.

partenaire de Job. Manifestement, c'est l'amour conjugal qui se retrouve au centre du récit, plutôt que la seule conduite de celui dont la
confiance en Dieu a été mise à l'épreuve. Chedid reprend la tripartition
formelle du livre de Job (prologue — dialogues — épilogue) et en suit
les grandes lignes. Mais le respect du cadre d'origine est trompeur,
puisque Chedid le déjoue à plus d'une occasion, notamment lorsque,
en guise de titre pour sa troisième partie, elle annonce : « Il n'y a pas
d'épilogue », marquant de ce fait à la fois l'analogie et la distance qu'elle
cherche à établir avec le texte-source. Sur le plan structurel, on peut
constater que Chedid atténue l'importance des dialogues qui occupent
l'essentiel du livre biblique, au profit du prologue et de l'« épilogue »,
qui deviennent presque aussi longs que la partie centrale. Il en résulte
une narrativité accrue du texte, permettant de développer ce qui, dans
l'original, n'était qu'une brève mise en scène préparant et concluant les
discours directs. Le récit parabolique connaît de ce fait un élargisse-
ment de ses enjeux, qui paraissent moins strictement religieux. Ainsi,
en tant que personnages, les instances « surnaturelles » disparaissent
entièrement : Satan, qui joue le rôle d'agent provocateur dans l'Ancien
Testament, n'apparaît plus ; Yahvé, dont la parole se fait entendre à
plusieurs reprises dans l'original, devient une présence discrète et se
voit retirer les longs discours qui lui étaient attribués (Jb 38-41). Plutôt
que sa parole, c'est le rire de Dieu qui retentit à l'intérieur du personnage
d'Elihou, telle une « lame de fond », « une vague éclatante » « [s]urgie du
fond de ses entrailles » (FJ, 61). Dieu se défait ainsi « de son masque
vengeur » et se met « subitement à l'écoute des humains » (FJ, 67). Les
discussions qui forment la partie « Dialogues » mènent non à la formu-
lation d'un code de conduite divin, comme dans l'original, mais à une
façon plus subtile d'accéder à Dieu. Lorsque, à l'intérieur de lui, Job
entend enfin la voix de ce dernier, c'est pour se faire adresser une série
d'interrogations (FJ, 70-71) renvoyant le vieil homme à lui-même et à un
message d'amour inhabituel dans le contexte de l'Ancien Testament[28].
      Au contraire, les personnages humains, principalement Job et son
épouse, se voient développés de manière substantielle. De simple adju-
vante de Satan lorsqu'elle enjoint Job de maudire Dieu, sa femme
devient une véritable compagne, qui reste à ses côtés tant dans la pros-
périté que dans le malheur. Job n'est plus seul à faire face à son destin ; il

---

28. Manifestement, pour Chedid, la question semble importer plus que la réponse.
Dans un entretien, l'auteure affirme d'ailleurs, à propos des *Marches de sable*, où la foi joue
un rôle important, s'intéresser plus à la question qu'aux réponses sur la vie et son comment
(Evelyne Accad, « Entretien avec André Chedid », *Présence francophone*, n° 24, 1982, p. 157).

peut compter sur la présence de cette femme «jusque-là sans visage[29]» et à laquelle Chedid s'emploie justement à «donner voix et visage[30]». Elle va même jusqu'à intervenir à plusieurs reprises pour défendre son mari contre les «insidieuses attaques» de ses amis, surtout lors du dernier dialogue avec Elihou. Si celui-ci «la transperc[e] d'un regard qui lui déniait toute existence» (*FJ*, 60), lui rappelant comme le texte le dit ailleurs que, une fois de plus, «[e]lle n'était pas à sa place» (*FJ*, 42), il n'en reste pas moins que, par son intervention, la femme de Job déclenche l'expérience déjà évoquée du rire de Dieu (*FJ*, 58-61). De ce fait, elle joue en fin de compte un rôle important qui, on l'aura compris, dépasse et réoriente celui qui lui est imparti dans l'Ancien Testament. L'examen de *La femme de Job* confirme ce que constatait Françoise Han dans son compte rendu du livre, soit que «[e]n s'écartant délibérément du récit biblique, *La femme de Job* trace l'accomplissement d'un destin humain partagé entre deux êtres égaux en leur singularité[31]». De façon à souligner le principe d'égalité qui préside à la communauté conjugale, la mise à distance de l'original passe par une revalorisation de la figure féminine dont le texte biblique — et la tradition qui en découle — n'a retenu que le rôle négatif. Plutôt qu'une épreuve s'ajoutant à celles que Job doit affronter, Chedid a vu en elle une femme dont le destin méritait attention, ce que le titre lui-même laisse clairement entendre.

Autre récit portant sur une figure féminine problématique, *Lucy. La femme verticale* accorde la parole à l'ancêtre présumée de l'*homo sapiens*, à une époque antérieure à toute histoire, et même à tout langage. Dans cet ouvrage, l'auteure réinvente l'origine de l'*homo erectus* au moyen d'une forme improbable de dialogue entre un «je» féminin actuel et la petite australopithèque qui accède à la parole à travers la voix que lui prête sa lointaine «descendante». En redonnant vie à cet être préhistorique, Chedid l'investit du rôle crucial de mère de l'humanité. «[L]'humble aïeule, empêtrée et confuse, celle [...] qui s'agite entre ténèbres et clarté» (*L*, 22) devient ainsi «immémoriale», par le lien généalogique qui s'établit entre le passé et le présent. Non seulement le récit écrit-il l'histoire (devrait-on dire la préhistoire?), mais il met en scène une véritable entreprise de réécriture de celle-ci. Devant l'horreur que lui cause l'homme tel qu'il est devenu («massacres, carnages, souffrances sans

---

29. Renée Linkhorn, «Chedid, Andrée. *La femme de Job*», *The French Review*, vol. LXIX, n° 2, 1995-1996, p. 367.

30. Sur la quatrième de couverture du livre, Chedid formule cette assertion sur le mode interrogatif.

31. Françoise Han, «*La femme de Job*», *Sud*, n°ˢ 106-107, 1994, p. 384.

fin» [*L*, 49]), le «je» féminin décide en effet d'«empêcher l'humanité d'accéder au jour» (*L*, 57), en remontant dans le temps et en mettant Lucy à mort. Elle affirme ainsi, au nom de l'humanité : «D'un coup, je détruirai nos filiations. D'un geste, j'annulerai nos destins» (*L*, 51). Dans le tâtonnement du récit, elle «échafauder[a], au fur et à mesure, la préparation du meurtre et le témoignage des mots» (*L*, 49). Véritable «euthanasie» (*L*, 75), la réécriture du passé que représente le «rituel de mort» imaginé par le «je» ne connaît pas l'aboutissement souhaité, la parenté entre elle et Lucy étant trop forte pour que puisse être commis le crime qui libérerait l'humanité de sa naissance. À la fin du récit, Lucy est donc confirmée dans son rôle inaugural, que celui-ci soit fondé ou non sur le plan anthropologique. Le fait que le dialogue entre passé et présent — et plus encore, le sort de l'humanité — soit confié à des instances féminines vient confirmer, à mon avis, la valorisation de l'expérience féminine qui s'opère à travers la réécriture chedidienne de l'histoire, de même que le mode fortement allégorique pour lequel opte l'auteure et qui vise, comme le dit Aziza Soliman, à «restituer à la réalité, telle que l'histoire, au hasard des découvertes, nous l'a léguée, sa dimension de rêve[32]». Le rêve, ici, c'est l'entrecroisement des destins, c'est cette proximité des femmes en dépit de l'écart temporel vertigineux. La voix de Lucy paraît étonnamment actuelle[33], comme un rappel de ce qui, pour le meilleur ou le pire, pousse l'humain à se réaliser et à s'assumer. Cette pulsion, celle de se redresser, fait l'objet d'une commémoration par l'écriture, de façon à constituer une mémoire féminine de ce passé fondateur dans son nécessaire lien avec le présent.

En tant que relecture du passé — individuel ou collectif —, la commémoration est souvent convoquée par Chedid[34], en raison de son pouvoir à superposer le présent et le passé, à la fois étrangers et semblables. Liant le début et la fin, le singulier et le pluriel, l'ancêtre et sa descendance, l'acte commémoratif peut, par sa présence même, réinventer le passé, grâce au pouvoir des «fables», «inventives, mouvementées[35]», qui permettent d'envisager conjointement l'amont et l'aval du destin humain[36].

32. Aziza Soliman, *loc. cit.*, p. 13.

33. Bettina L. Knapp, «Andrée Chedid. *Lucy : la femme verticale*», *The French Review*, vol. LXXII, n° 4, 1999, p. 1142. Au passage, notons la similarité thématique du récit avec le poème «Image ancestrale» (*Territoires du souffle*, Paris, Flammarion, 1999, p. 104).

34. Tout particulièrement ces dernières années ; c'est ce que je constatais déjà en 1994 (Jean-Philippe Beaulieu, «*À la mort, à la vie* d'Andrée Chedid ou les voies de la commémoration», *LittéRéalité*, vol. VI, n° 1, 1994, p. 11-24).

35. Andrée Chedid, «Vaste rêve», dans *Petite terre, vaste rêve*, Paris, Pauvert, 2002, p. 139.

36. D'une manière plus superficielle, cette façon commémorative de lier le présent et l'histoire ancienne se retrouve dans certaines nouvelles, comme «Le fellah et les dieux-

Dans ce contexte, comme nous l'avons constaté, la réécriture chedidienne se montre moins préoccupée par l'authenticité historique que
par la force évocatrice et allégorique du passé qui, ce faisant, confine
parfois au mythe, comme n'ont pas manqué de le remarquer certains
commentateurs[37]. Dans cette perspective, il y a lieu de se demander si
la réécriture chedidienne de l'histoire s'inscrit dans un mouvement
révisionniste menant à la construction d'une utopie féminine, comme
cela a été le cas pour plusieurs écrivaines depuis Christine de Pizan[38].
Pour forte qu'elle soit, la solidarité féminine que donne à voir la
réécriture de l'histoire dans les *Marches de sable* est avant tout constat
ou souhait. Il ne saurait être question de considérer ce roman comme
une autre *Cité des dames*. Le texte laisse avant tout entrevoir des mondes possibles ou désirables, sans chercher à en dresser les frontières
précises.

La réécriture chédidienne est donc essentiellement commémoration,
dénonciation ou encouragement. Sous l'angle du féminin, elle balise
l'histoire ou la légende — pour ce qui est du passé lointain, la distinction
manque souvent de clarté — d'une façon qui privilégie l'émergence des
figures d'arrière-plan. De ce point de vue, comme Elsa Morante, mais
bien différemment, elle exploite la sphère du féminin (et de l'enfance) de
manière à effectuer un certain « retournement des critères traditionnels
du genre historique », pour reprendre la formule de Dominique
Peyrache-Leborgne[39]. Bien loin du roman historique épique que le
XIXe siècle a développé[40], le texte chedidien propose un récit — du
moins partiel — de l'envers de l'histoire : celui des êtres laissés dans la
marge des discours historique et biblique. « Rapiéçant les archives de la

colosses » (dans *Les corps et le temps*, Paris, Flammarion, 1978, p. 131-140) ou « La balade des
siècles » (dans *Mondes Miroirs Magies, op. cit.*, p. 285-295).
     37. C'est d'ailleurs ce qui a encouragé la lecture de certains éléments du corpus
chedidien en tant que réactualisation des mythes égyptiens ; voir Isis Khalil, « Du mythe
égyptien à l'imaginaire universel, dans le récit "L'enfant des manèges" d'Andrée Chedid »,
dans Metka Zupancic (dir.), *Mythes dans la littérature contemporaine d'expression française*,
Ottawa, Le Nordir, 1994, p. 286-294. Au sujet des liens entre réécriture et mythe, on consultera Maurice Domino, « La réécriture du texte littéraire. Mythe et réécriture », dans
Thomas Aron (dir.), *La réécriture du texte littéraire*, Paris, Les Belles Lettres, 1987, p. 16 et suiv.
     38. Voir Joëlle Cauville et Metka Zupancic, « Préambule » à *Réécriture des mythes : l'utopie
au féminin*, Amsterdam, Rodopi, 1997, p. ii-x.
     39. Dominique Peyrache-Leborgne, « L'Histoire : un "scandale qui dure depuis mille
ans". À propos de *La Storia* d'Elsa Morante », dans Dominique Peyrache-Leborgne et
Daniel Couégnas (dir.), *Le roman historique. Récit et histoire*, Nantes, Éditions Pleins Feux,
coll. « Horizons comparatistes », 2000, p. 267.
     40. Voir la typologie de Michel Vanoothuyse, dans Dominique Peyrache-Leborgne,
loc. cit., p. 250.

mémoire / Replâtrant les légendes[41] », Chedid procède ainsi à une archéo-logie poétique — faite autant d'érudition que d'imagination — qui l'autoriserait certainement à affirmer, en adaptant le titre du célèbre essai de Françoise Verny : « Mais si, Messieurs, les femmes ont une his-toire[42] », une histoire qu'il s'agit de découvrir « [a]u revers des façades / Et des tournures du monde[43] ».

41. Andrée Chedid, « Rencontrer l'histoire », dans *Par-delà les mots*, Paris, Flammarion, 1995, p. 91.

42. Françoise Verny, *Mais si, Messieurs, les femmes ont une âme*, Paris, Grasset, 1995.

43. Andrée Chedid, « Au revers des façades », dans *Par-delà les mots, op. cit.*, p. 46.

L'entendu et l'autrement : aspects du métissage dans *Rouge, mère et fils* de Suzanne Jacob

DORIS G. EIBL

1. Préliminaires sur la liberté de la lecture

L'histoire que Suzanne Jacob nous donne à lire avec *Rouge, mère et fils* s'inscrit dans une œuvre qui, depuis vingt-cinq ans, ne cesse de témoigner d'un effort de lecture refusant de s'accorder avec l'idée communément admise selon laquelle «nous sommes d'accord sur ce dont nous ne parlons pas, en premier lieu sur les conventions de réalité qui nous régissent en plein jour[1]». Ainsi, ses romans mettent en scène des personnages qui ne cessent de questionner, de négocier et de renégocier ces conventions, qu'elle appelle «l'entendu», renvoyant à l'expression «c'est entendu», qui «désigne, sans qu'on doive en dresser la liste, tout ce dont on n'aura pas à débattre pour se parler [...] "ce qui va de soi"» (*BE*, 33). Ils veulent ainsi échapper au piège de ce qui n'est pas dit, à savoir, avant toute chose, que la réalité est une convention de réalité et qu'elle «ne dépasse jamais la fiction parce que la fiction est la condition de la réalité» (*BE*, 35). Toute fiction qui se pose comme réalité obscurcit ou écarte ce qui l'identifierait comme fiction et mettrait en danger son statut de réalité. Car pour se maintenir, ce statut exige que les individus croient à cette fiction «comme à la réalité elle-même» (*BE*, 35). De ce manège naît, à plusieurs échelles, ce que nous avons décidé d'appeler avec Sigmund Freud le *Unheimliche*.

---

1. Suzanne Jacob, *La bulle d'encre*, Montréal, Presses de l'Université de Montréal, 1997, p. 33. Dorénavant désigné à l'aide du sigle (*BE*), suivi du numéro de la page.

Attardons-nous brièvement sur cette notion pour illustrer le sens qu'elle prendra dans le contexte de notre lecture. Nous nous référons, comme nous l'avons déjà indiqué, directement au *Unheimliche* freudien et nous préférons le terme original à sa traduction française («inquiétante étrangeté») car cette dernière ne saurait rendre compte de toute l'étendue significative du mot allemand. Dans un article de 1919, dont le but est de cerner la teneur émotive du *Unheimliche*, Freud propose une analyse sémantique qui s'appuie, entre autres, sur la duplicité de l'adjectif *heimlich* : celui-ci désigne, d'un côté, ce qui est familier, confortable, ce qui se passe dans l'intimité du foyer et, de l'autre, ce qui est secret, caché, dissimulé. Retenons que dans la langue allemande, le familier et le dissimulé peuvent être exprimés par un seul et même mot. «Serait *unheimlich*, nous dit Freud, tout ce qui devrait rester un secret, dans l'ombre, et qui en est sorti[2].» Or le *Unheimliche* — contrairement à ce que l'on pourrait croire — n'est pas ce qui n'est pas familier, c'est-à-dire ce qui est nouveau ou étranger et donc effrayant et inquiétant — d'ailleurs, tout ce qui est nouveau ou étranger n'est pas nécessairement inquiétant —, mais quelque chose qui est familier, qui n'est devenu étranger que par le processus de refoulement et qui, à un moment donné, est revitalisé, de nouveau rendu visible ou sensible. En ce sens, le *Unheimliche* serait davantage une inquiétante familiarité qu'une inquiétante étrangeté, une familiarité qui reste à dire.

Les personnages jacobiens opéreraient donc comme des experts dans l'identification du «reste», de ce qui «reste» à l'ombre et *heimlich* et devient par cela même *unheimlich*. À l'instar des jardiniers, ils bêchent le terrain de l'entendu et y repèrent toute une panoplie d'apories d'ordre individuel ou communautaire ; le fait que ces apories soient mises en histoire(s) ouvre un nouvel espace de réflexion en regard de l'entendu tel qu'il a été défini plus haut, ou, comme c'est vrai pour *Rouge, mère et fils*, en regard d'une impasse identitaire vécue par une mère, un père et un fils au sein d'une communauté, à savoir la communauté québécoise.

Face à l'extraordinaire complexité de *Rouge, mère et fils*, cette étude espère apprécier à sa juste valeur une dynamique narrative qui résulte de l'action réciproque entre une lecture en liberté et la réponse qu'elle met au monde. Elle en proposera une lecture possible, une lecture qui mettra en relief notamment la question du *Unheimliche* qu'est la réalité métissée du Québec. Ce sera à partir de cet aspect qu'elle tentera de

---

2. Sigmund Freud, *L'inquiétante étrangeté et autres essais*, Paris, Gallimard, 1985, p. 222.

cerner une dimension de réécriture : en effet, le discernement à l'œuvre dans ce roman effectue une traduction de ce qui, sous l'effet de la force « négative » de l'entendu, n'est pas dit, il transpose une langue étouffée par un silence séculaire, une langue à laquelle seules les histoires savent rendre justice en s'en faisant l'écho. Si, poussés par l'urgence de survivre, plusieurs personnages de *Rouge, mère et fils* font face à la nécessité d'affronter le *Unheimliche* où se fondent — ils s'en doutent bien — à la fois leur inquiétude, leur familiarité et leur impuissance à se projeter dans un avenir, c'est en premier lieu le personnage du Trickster qui, souvent malgré lui et par une suite de hasards, en devient le traducteur par excellence.

2. Du « tricksterisme » à l'œuvre

On constate d'abord que le Trickster à qui nous avons affaire dans *Rouge, mère et fils* est un personnage fort complexe : en effet, ce Trickster qui, tel un *deus ex machina*, entre dans le roman au moment même où les différentes histoires mises en place commencent à former un ensemble de nœuds inextricables, n'est pas un dieu-trickster, mais un certain Jean Saint-Onge doté d'une histoire et d'une expérience « humaines ». Le lecteur apprendra, après son apparition, qu'il a grandi sur le Plateau, entouré ou plutôt surveillé par ses parents qui « passaient leur temps à se méfier de ce qu'ils buvaient, de ce qu'ils mangeaient, de ce qu'ils rêvaient, et donc de l'enfant lui-même qu'ils avaient fini par mettre au monde[3] » ; qu'il a commencé à apprendre le piano à l'âge de quatre ans et qu'il désespérait de ne jamais avoir réussi à en « jouer [...] de manière à suspendre quelques secondes la méfiance qui tendait le tissu des fauteuils, qui fermait le piano à clef tous les soirs, qui rongeait le silence là où la musique aurait voulu le modeler, le sculpter » (*RMF*, 207). Le lecteur apprendra aussi qu'à sa majorité, Jean Saint-Onge était parti pour l'Ouest, pour la Colombie-Britannique, qu'en traversant le continent il était arrivé à se libérer de la méfiance que ses parents lui avaient donnée en héritage et qu'en revenant vers l'Est, vers le Québec, doté d'un totem, le carcajou, et prêt à aimer et à être aimé sans méfiance, il a rencontré Charles Bois, un professeur de littérature à la retraite, qui l'a initié à la passion des livres, des histoires de son pays et des vins rouges.

---

3. Suzanne Jacob, *Rouge, mère et fils*, Paris, Seuil, 2001, p. 206. Dorénavant désigné à l'aide du sigle (*RMF*), suivi du numéro de la page.

Cependant, c'est en tant que Trickster dans toute sa dimension mythologique que Jean Saint-Onge intervient dans l'histoire et en change l'issue. Cette dimension du personnage relie le roman à une tradition de légendes amérindiennes[4], dans lesquelles le Trickster prend les apparences les plus diverses dont celles du Corbeau, du Coyote, de l'Araignée ou du Lièvre, pour ne nommer que les plus connues[5] ; il incarne alors, outre les qualités communes à tous les Tricksters, qui constituent le noyau de leur fonction narrative, les caractéristiques attribuées à l'animal qui lui est associé.

Fidèle à son totem, le carcajou, Jean Saint-Onge apparaît d'abord comme voleur. Tout comme le carcajou, communément considéré comme un animal agressif et dangereux, qui se nourrit des animaux piégés par les trappeurs, les leur «vole», Jean Saint-Onge gagne sa vie en volant les touristes : «[...] je ramasse l'argent qui se présente. [...] Les gens promènent leur argent. Moi, je le leur prends» (*RMF*, 168-169).

Le carcajou, surnommé «glouton» pour son appétit d'ogre, n'a pas que des défauts, même si la croyance populaire lui en attribue beaucoup : il est un nomade solitaire capable de suivre les troupeaux migrateurs et de parcourir de grandes distances ; les Micmacs et les Montagnais lui reconnaissent une grande habilité presque *unheimlich* lorsqu'il s'agit d'éviter les chasseurs. Il est le «survivant» par excellence et celui qui, dans un fabliau de Félix Leclerc, rassemble en lui toutes les qualités qui manquent aux autres animaux, soit le courage, la hardiesse et l'incorruptibilité : «L'émeutier qui fait honte aux abuseurs. Qui sera seul contre tous à défendre le pauvre. Toute sa vie dans la politique, n'appartenant à aucun parti. Il punit ceux qui la font mal[6].»

---

4. Notons que la figure du Trickster apparaît également dans les légendes africaines, polynésiennes, australiennes et autres, et que certains chercheurs dont Karl Kerényi et William G. Doty reconnaissent des figures semblables au Trickster dans la mythologie grecque. Ainsi William G. Doty considère que Hermès fut le premier grand Trickster de la culture occidentale au sens où il était le dieu des routes et des voyageurs et disposait d'une langue apte à dire la transition et la découverte sans pour autant poser ces dernières comme absolues ou universelles. Voir William G. Doty, «A Lifetime of Trouble-Making : Hermes as Trickster», dans William J. Haynes et William G. Doty (dir.), *Mythical Trickster Figures : Contours, Contexts, and Criticisms*, Tuscaloosa, University of Alabama Press, 1997, p. 60-63 ; voir Karl Kerényi, «The Trickster in Relation to Greek Mythology», dans Paul Radin, *The Trickster. A Study in American Indian Mythology. With commentaries by Karl Kerényi and C. G. Jung*, New York, Schocken, 1972 [1956], p. 171-191.

5. Pour les différentes apparences du Trickster voir *Encyclopedia Mythica*, <http://www.pantheon.org/areas/> (15 janvier 2003).

6. Félix Leclerc, «Carcajou ou le Diable des bois», dans *Les œuvres de Félix Leclerc*, t. II, s. l., Henri Rivard éditeur, 1994, p. 432.

Tout en débutant dans l'histoire comme voleur, le personnage de Jean Saint-Onge est également doté de plusieurs des qualités «positives» propres au carcajou. Il est successivement le survivant courageux qui échappe à ce qui tente de l'enfermer (la méfiance de ses parents), le migrateur parcourant de grandes distances et le solitaire qui hiverne dans le Nord, en cachette, où «[il] mange du lièvre, de la perdrix, tranquille. [...] li[t] des livres et [...] joue du piano» (*RMF*, 171).

Avant de nous aventurer plus loin dans l'histoire de Jean Saint-Onge, revenons à ce que nous avons appelé le noyau de la fonction du Trickster dans les légendes amérindiennes. Selon la définition de Paul Radin, le Trickster mythologique est celui qui crée et détruit à la fois, propose des systèmes de pensée qu'il nie par ailleurs, dupe les autres et se voit lui-même toujours dupé. Il ne connaît ni le bien ni le mal, mais est responsable des deux. Il n'a pas de valeurs morales ou sociales. Tout en étant lui-même à la merci de ses passions et de ses appétits, il est celui dont les actions font que toutes les valeurs se mettent à exister[7]. Il est aussi un guérisseur, comme l'a montré Jung dans une étude intégrée à la publication de Radin : le psychanalyste explique en effet qu'au personnage de Trickster s'attache une «vérité mythologique», apparemment confirmée par toutes les occurrences, selon laquelle le blessé qui blesse est l'agent même de la guérison tout comme celui qui souffre guérit la souffrance[8].

Le Trickster de *Rouge, mère et fils* reçoit plus ou moins toutes les qualités mentionnées par Paul Radin, mais c'est particulièrement celle du guérisseur, que Jung met en relief dans son commentaire pour l'associer avec celle du «saint» des récits chrétiens, qui nous intrigue, du fait que celui qui, dans *Rouge, mère et fils*, apparaît d'abord comme *Trickster* est en même temps Jean *Saint*-Onge. Car c'est en sa fonction de guérisseur — et nous allons voir en quoi consiste la guérison dont il est responsable — que le Trickster/Jean Saint-Onge permet à l'intrigue, à l'intérieur de laquelle il figure aussi comme celui qui souffre, de passer d'une histoire d'où les histoires sont absentes ou ne figurent que sous forme du *Unheimliche* à une histoire nommant les histoires du métissage des cultures amérindienne et chrétienne.

---

7. Voir Paul Radin, *op. cit.*, p. xxiii; voir aussi Rémi Savard, «Carcajou, héros comique», dans *Le rire précolombien dans le Québec d'aujourd'hui*, Montréal, L'Hexagone/Parti Pris, 1977, p. 67-72.

8. Voir Carl Gustav Jung, «On the Psychology of the Trickster Figure», dans Paul Radin, *op. cit.*, p. 96.

Le Trickster/Jean Saint-Onge, dont la duplicité métaphorise ce métissage culturel, condense en lui une énergie salvatrice qui lui permet de transgresser les tabous que nous impose la fiction dominante[9] des « tests objectifs » et, ce faisant, de mettre au jour les significations reléguées au silence par celle-ci. La fiction dominante réduit en effet à l'insignifiance ce qui ne passe pas l'épreuve du test objectif, ce qui, en fait, met en danger son fantasme d'absolu et de totalité. Rappelons à ce propos ce que Delphine déclare dans un monologue intérieur au début de *Rouge, mère et fils* :

> Si la plupart des questions tombent désormais en désuétude avant même d'être formulées [...], c'est que le futur expire, c'est que le futur est KO. Il a fallu des siècles pour créer et élargir l'espace du futur dans la pensée humaine, et quelques années pour administrer au futur le choc qui l'a fait disparaître ; impossible de transmettre aucun espace de futur par la méthode du test objectif. Il faut des histoires, mais les histoires sont interdites parce qu'elles ne se soumettent pas aux tests objectifs. (*RMF*, 18-19)

Avant d'aborder l'interdiction du récit du métissage, sur laquelle nous reviendrons amplement plus loin, il nous importe de parler d'une autre interdiction, celle qui frappe l'histoire des rituels, des rituels respectifs des traditions amérindienne et chrétienne. La négation de cette histoire court-circuite, pour ainsi dire, la transmission nécessaire à l'établissement du lien entre passé et futur, qui seule permet aux individus de se reconnaître dans le présent. Dans *Rouge, mère et fils*, la question du rituel est indissociable à la fois de l'interdiction de l'histoire du métissage et de celle de la tradition catholique. Lorsque le fils, Luc, écoute *La Passion selon saint Jean* de Jean-Sébastien Bach, il traduit les implorations « "Herr !... Herr !... Herr !..." » par « "Monsieur !... Monsieur !... Monsieur !" » (*RMF*, 32) comme si ces implorations s'adressaient à un passant ; c'est, en tout cas, ce que Luc imagine : « Qui est celui que le chœur appelle *Herr* ? », se demande-t-il (*RMF*, 33). La force consolatrice de ce chant ne saurait l'atteindre puisque son père, Félix, — comme le roman finira par nous l'apprendre — n'a pas voulu lui transmettre l'histoire du chant ecclésiastique, celle de son propre père, celle d'un homme doux qui chantait le *Panis angelicus* (*RMF*, 110). Or, le refus de son devoir de transmission tient Félix lui-même en otage, en otage d'un ordre, « du seul ordre qu'il connaissait, celui de l'ironie et du sarcasme, un snobisme en somme », ordre qui ne lui permet pas

---

9. Voir *BE*, 35 : « La fiction la plus répandue dans une même société, celle qui est la plus en usage, c'est la fiction dominante. »

d'imaginer «une nouvelle manière d'apercevoir le futur» (*RMF*, 116-117), le sien et celui de son fils. Désespéré de son incapacité à ouvrir un nouvel espace d'avenir, Félix finit par appeler ce père dont il a nié l'héritage : «Père, ton livre de cantiques a été broyé. Me feras-tu entendre une ultime fois ce chant d'amour que je n'ai pas voulu transmettre à mon fils?» (*RMF*, 159)

En ce qui concerne l'héritage des rituels amérindiens, nous rencontrons une impossibilité semblable, une impossibilité qui, cette fois-ci, relève d'une loi intérieure, subtilement aménagée, de non-reconnaissance de la culture amérindienne. Lorsque, à l'occasion d'une première rencontre, le Trickster apprend la mort du frère de Luc, il fait don à celui-ci de l'histoire du rituel de deuil des Outaoüas, rituel grâce auquel un homme ayant perdu son frère peut retrouver la paix :

> Il se met à nu, il se barbouille le visage de charbon, il se dessine un trait rouge sur chaque joue, il prend son arc et ses flèches et il traverse le village en chantant une chanson lugubre de la voix la plus enragée possible, et il se met à courir partout comme un perdu qui veut tirer sur le premier homme qu'il va rencontrer. C'est une séance, il faut le comprendre, une séance pour que sa peine soit vue et entendue par tout le monde, [...] et dès que les gens ont compris, ils s'entendent entre eux pour faire un cadeau au mort, pour que le frère aîné mort apaise le cœur révolté de son frère cadet vivant. (*RMF*, 168)

Si Luc, à la suite d'un enterrement où il s'est senti étrangement touché par le chant du *Panis angelicus*, se met à quêter, à la sortie du cimetière, maquillé et habillé d'un costume de soie noire, c'est qu'il réclame, pour calmer la douleur de ceux qui viennent de perdre leur mère et pour guérir aussi la sienne propre, le droit à son double héritage, catholique et amérindien : «[...] mais laisse donc les gens m'adopter, je suis leur fils aux yeux indigo et aux cheveux corbeau, laisse-les se souvenir de moi lorsqu'ils m'aperçoivent» (*RMF*, 183), dit-il à son père Félix qui s'offusque de son déguisement. Face à Félix, Luc devient lui-même presque un Trickster, un Trickster déguisé en clown. Ce déguisement rappelle celui de l'homme outaoüas exprimant la douleur face à la mort de son frère, mais relève aussi de la nécessité de dire et de faire accepter aux gens, par le rituel même du déguisement, la vérité qui est celle du métissage.

On pourrait résumer en reprenant les propos de Jeanne Rosier Smith, selon qui le Trickster, dans sa fonction «d'interprète, de conteur d'histoire et de "transformateur"», est «un maître des frontières et de l'échange, qui introduit des perspectives multiples pour défier tout ce qui est abrutissant, stratifié, terne ou prescriptif[10]». Le Trickster/Jean Saint-Onge, tout comme le «tricksterisme» plus généralement à l'œuvre dans *Rouge, mère et fils*, déploie une énergie transgressive qui mène les personnages à poser les bonnes questions face aux «secrets» du «foyer» qui les inquiètent, ces histoires reniées qui, tout en fondant une obscure familiarité entre les personnages, les tiennent à distance les uns des autres. La restitution des histoires, qui est en même temps la restitution du passé individuel et collectif et par cela même l'ouverture d'un espace d'avenir, permet aux personnages de se reconnaître eux-mêmes et de se reconnaître mutuellement. Elle est la condition même de la guérison.

3. La réécriture du métissage dans une société qui ne veut pas d'histoires

Dans un ouvrage intitulé *Amériques*, Jean Morisset et Éric Waddell nous invitent à repérer les traces francophones au travers du continent américain et à reconsidérer, à relire, l'américanité du Québec[11]. On qualifierait volontiers ce livre d'écrit polémique contre l'absence de mémoire (dont témoignerait le discours national officiel attaché à une pureté illusoire) et pour la reconnaissance du métissage. Dans «Exploration identitaire et géographie métisse», Jean Morisset soulève de nombreuses questions qui nous paraissent de première importance en regard de l'histoire de *Rouge, mère et fils*[12]. Ses réflexions portent à la fois sur la négation du métissage au Québec, la censure identitaire qu'exerce le discours national officiel et l'interdiction inhérente à «un langage savant[13]» qui se serait approprié le droit de dire le Québec mais qui, en fait, le dissimulerait. D'entrée de jeu, il décrit «la peur du métissage» comme la part la plus refoulée de l'histoire québécoise[14]. Or, la fiction dominante de normalité, que le fils du roman de Suzanne Jacob se torture à explorer dans sa thèse, se fonde sur ce refoulement.

---

10. Jeanne Rosier Smith, *Writing Tricksters : Mythic Gambols in American Ethnic Literature*, Berkeley, University of California Press, 1997, XIII (nous traduisons).

11. Jean Morisset et Éric Waddell, *Amériques. Deux parcours au départ de la Grande Rivière du Canada. Essais et trajectoires*, Montréal, L'Hexagone, 2000.

12. Voir Jean Morisset, «Exploration identitaire et géographie métisse», dans Jean Morisset et Éric Waddell, *op. cit.*, p. 117-143.

13. *Ibid.*, p. 127 : «[...] c'était beaucoup moins le Québec qui intéressait l'intelligentsia que sa transformation dans un langage savant, fût-il marxien, freudien, structuraliste ou groulxien!»

14. *Ibid.*, p. 117.

La thèse que Luc essaie de faire avancer sans grand succès se veut une recherche «sur les mécanismes qui fondent la normalité dans chaque tribu et dans la tribu planétaire» (*RMF*, 59). Or, Luc se trouve dans une impasse qui est celle d'un vacuum d'histoires, car la société où il vit et face à laquelle et dans laquelle il voudrait devenir «normal», un «homme adulte prêt à transmettre ce qu'on lui a appris» (*RMF*, 46), interdit les histoires. Dans son entourage immédiat, cette société est représentée, à différentes échelles, autant par son père que par d'autres personnages dont Rose, sa compagne, qui, détenant un «diplôme en deuil» (*RMF*, 41), ne supporte pas les histoires. Elle reproche à Luc de ne pas vivre dans la réalité, ce «geste collectif impérieux» (*RMF*, 63) qui se traduit par le parcours frénétique des «Grandes Surfaces» de la consommation, un parcours dont on dirait qu'il a remplacé l'exploration des grandes surfaces du continent américain où ne se révéleraient que des histoires.

Or, pour Luc, vivre dans cette «coutume générale» que l'on appelle réalité et «dont la consigne était "surtout pas d'histoires"» (*RMF*, 63) n'est pas si simple. Au cours des vingt-sept années de sa vie, il a intégré de nombreuses histoires et notamment des histoires qui ne passent pas le test objectif de la coutume générale : l'histoire des «conditions de travail des clandestins mexicains au sud des États-Unis» (*RMF*, 63) dont les récoltes réjouissent les flâneurs du marché Jean-Talon, celle aussi des enfants esclaves qui ont tissé le tapis sur lequel Luc et Rose font l'amour (*RMF*, 65), ou celle que Lenny, un jeune Américain qu'il a adopté comme frère dans son adolescence, lui lègue juste avant son décès et qui raconte son départ pour l'Afrique et son désir de réparation face à la destruction impérialiste.

À côté de ces histoires qui révèlent les fondements de la normalité du capitalisme et de la consommation, Luc a également intégré les histoires de Delphine, sa mère — «La vie de Delphine était entièrement fondée sur l'imprécision et l'oscillation, sur l'indécision et l'hésitation, et, avant tout, sur les histoires qu'elle se racontait» (*RMF*, 10) —, dont celle de l'écoute d'un satellite glissant «entre les soies tendues des aurores boréales», qui est «le rappel bienfaisant d'un amour indéfectible» (*RMF*, 44), ou celle d'un enfant suivant «le "sillage des Nageuses" dans le ciel» (*RMF*, 43), des histoires, donc, qui ne passeraient pas elles non plus le test objectif de la réalité — de la fiction dominante.

Avant de pouvoir sortir de ce vacuum, avant de pouvoir répondre de sa propre personne à ce qui l'enferme dans un état de passivité et de colère — une colère qui le ronge à l'intérieur et qui le tient à distance de tout, qui le maintient dans une douloureuse attente s'exprimant par le cocon qu'il crée autour de lui en jouant au Solitaire, en se calfeutrant dans l'espace virtuel et neutre d'un jeu d'ordinateur d'où sont exclus l'étranger, l'inédit et le jamais vu —, Luc devra trouver les bonnes questions, les questions qui lui permettront de relire les histoires par lesquelles il s'est enraciné dans le monde, celles de sa mère et de son père, qui sont autant l'histoire d'une société, la société québécoise, que celles de deux individus. Il s'agira pour Luc de relire les mécanismes relationnels (au double sens du mot «relation») qui le déterminent dans le présent — ceux de la langue en premier lieu —, de comprendre ce qu'ils taisent à l'aide de ce qu'ils disent, de saisir que c'est par la langue elle-même qu'il risque de rester tenu en otage. La réflexion sur cette dernière le mène à poser une question, la plus importante, peut-être, de toutes celles qui l'habiteront tout au cours du roman :

> [...] comment [...] on peut étudier la normalité et la perception et le senti-ment de normalité avec cet instrument totalement normalisé et processé par la normalité qu'est la langue ? Comment est-ce que le consensus peut lui-même étudier le consensus [...]. (*RMF*, 245)

Le fait d'avoir reconnu que la langue ne nous reconnaît pas, au contraire, que c'est à nous de reconnaître la langue, c'est-à-dire de comprendre ce qu'elle permet et ce qu'elle interdit, convainc Luc de tenter un coup, de jouer un tour à cette langue, celle de sa thèse, celle de la normalité et du consensus, en ne racontant plus que des histoires : «Des histoires, j'en raconterai mille malgré tous ceux et celles qui ne veulent pas d'his-toires» (*RMF*, 248).

Le problème de la normalité imposée par une langue qui semble exclure les histoires nous ramène aux propos de Jean Morisset sur la peur du métissage :

> La question qui se pose, lorsqu'on tente d'écrire le métissage, est de savoir comment on peut échapper aux censures du «langage savant» qu'est le fran-çais écrit par rapport au langage parlé de la francophonie nord-américaine, ce langage parlé qui défie le discours officiel de la pureté et de la négation du métissage[15].

«Tous les Métis, dit encore Jean Morisset, doivent faire face un jour au dilemme de l'écriture qui les trahit et les réhabilite à la fois[16].» C'est dans ce sens que nous entendons la remarque de Félix lorsque, tout au début du roman, il «apparaît» à Delphine roulant sur l'autoroute :

---

15. Jean Morisset, *loc. cit.*, p. 137.
16. *Ibid.*, p. 135.

«J'aimerais bien connaître la raison qui t'oblige à parler comme si tu écrivais, avec ce ton invraisemblable de quelqu'un qui est en train d'écrire solennellement un testament» (*RMF*, 17). Plus tard, quand Luc demandera à Armelle, la nouvelle femme de son père, la permission de quêter à la sortie du cimetière, celle-ci observera à son tour : «Tu prends un ton bien solennel, on dirait que tu écris en parlant, tu me fais peur [...]» (*RMF*, 181). La question — parler comme si l'on écrivait ou écrire comme si l'on parlait, censurer ou transgresser, et à quel prix — sous-tend donc l'ensemble du roman, en plus d'apparaître comme une préoccupation explicite du personnage de Luc.

En racontant la censure qui pèse sur le récit du métissage, le roman *Rouge, mère et fils* déjoue l'interdit, dans la mesure où il ne cesse de parler du métissage, à partir d'un enchevêtrement d'histoires qui nous mènent par le bout du nez. Il le fait d'abord en nous présentant, dans le premier chapitre, les fouilles symboliques de Delphine, la mère, qui désespérément cherche «à reconnaître ses morts» dont toute trace s'est perdue (*RMF*, 25-29) ; ensuite en insistant, à plusieurs reprises, sur les yeux indigo et les cheveux corbeau de Luc (*RMF*, 46) ; finalement en mettant en scène l'apparition du Trickster/Jean Saint-Onge dont il a été question plus haut. Mais il y a encore deux «scènes» qui nous en parlent de façon plus explicite et que nous nous proposons d'observer de plus près. La première s'inscrit dans l'histoire de la mère, la deuxième dans celle du père.

Après le décès de Lenny, ce frère «adoptif» de Luc mais qui fut également l'amant de Delphine, celle-ci passe un long moment à la campagne, en compagnie de Lorne, un riche anglophone né en Alberta. Lorsque les chemins de Delphine et de Lorne s'étaient croisés de longues années auparavant, elle l'avait repoussé pour ce qu'il était, un anglophone riche, sous le prétexte qu'il n'était pas de son monde (*RMF*, 198) ; maintenant c'est ce même Lorne qui l'aide à continuer à vivre, à faire son deuil. Lors d'un petit voyage à Ottawa qu'elle fait en sa compagnie, Delphine découvre une toile exposée dans un restaurant, *Les souliers rouges*. Elle la regarde pendant un bon moment et puis «[e]lle se met à la voir» :

La toile représente une classe de fillettes toutes en robe de première communion, robe, voiles et chaussures blanches, guidées par une jeune religieuse sur le chemin d'une petite église posée sur la tête d'une colline toute verte. [...] Delphine remarque alors un détail. Une des communiantes, la dernière du groupe, porte des souliers rouges. Ce que Delphine voit alors, c'est que les voiles des communiantes, au fur et à mesure que le vent les peigne, deviennent des bouquets de plumes éblouissantes. De plumes de harfang des neiges? Elles portent donc toutes la Couronne boréale? (*RMF*, 240)

Ce que cette toile, peinte par l'Américaine Anne Marie Bourgeois, lui communique, c'est le souvenir enfoui, tous les souvenirs enfouis, mais avant tout celui d'une langue qui l'«a guérie il y a très longtemps» (*RMF*, 243), une langue étrangère et inaccessible qui lui est parvenue, bien avant la naissance de Luc, «dans une fièvre sans température» (*RMF*, 28), dans un rêve, et que nous reconnaissons comme étant la langue de ses ancêtres amérindiens ou métis. Qu'une Américaine née à Cincinnati, Ohio — d'ailleurs, comment se peut-il qu'une Américaine s'appelle Anne Marie Bourgeois? —, ait peint l'histoire des *Souliers rouges* l'étonne, car ces souvenirs rouges (de sang?), elle les réclame comme siens. Cependant, quand Lorne lui raconte qu'il entend lui aussi la langue de la toile qu'elle ne cesse d'écouter, elle doit bien reconnaître que l'histoire des *Souliers rouges* n'est pas exclusivement franco-québécoise — ou faut-il dire franco-canadienne? —, mais aussi anglo-canadienne ou américaine tout court :

> — Oui, chuchota Lorne, c'est si loin, si loin, c'était totalement interdit de s'en souvenir. Une fois, une seule fois, ma grand-mère a été autorisée à m'emmener avec elle chez les siens.
> — Je ne te crois pas, ce n'est pas possible, les Anglais ne se sont pas métissés, protesta Delphine.
> — *My love*, dit Lorne doucement, mon grand-père était écossais, ma grand-mère était métisse, tes croyances n'y peuvent rien. (*RMF*, 244)

La deuxième scène que nous invoquons rejoint directement les propos sur lesquels se termine celle des *Souliers rouges*, à savoir que le métissage peut ou même doit être considéré comme une réalité fondatrice proprement américaine, au sens le plus large du mot «américain». Elle nous ramène aussi au Trickster, cette fois-ci à tout ce qui situe le personnage du côté du carnavalesque, de ce qui prête à rire, ce rire qui, selon Lawrence Millman, constitue l'essence des «histoires de carcajou» montagnais[17].

Lorsque Armelle, la jeune femme de Félix, qui voudrait tant avoir un enfant — ce que son compagnon lui refuse —, est sur le point de le rejoindre dans sa maison de campagne «rouge», elle est agressée par

---

17. Lawrence Millman, «Wolverine : An Innu Trickster», dans Brian Swann (dir.), *Coming to Light : Contemporary Translations of the Native Literatures of North America*, New York, Random House, 1994, p. 210 : «[...] *they invite the one response that makes life in an unhappy, government-sanctioned community livable : laughter.*» Voir Rémi Savard, *op. cit.*, p. 71.

un jeune homme, qui lui demande de l'argent tout en la menaçant de mort. Armelle consent à lui donner tout ce qu'elle a sur elle mais à des conditions que le lecteur n'apprendra que plus tard, c'est-à-dire lorsque ce même jeune et bel homme rencontrera Luc, se présentera — «moi, c'est le Trickster» (*RMF*, 169) — et lui racontera son aventure : une jeune femme qu'il a essayé de voler l'aurait entraîné derrière les thuyas d'un petit cimetière et lui aurait demandé de lui faire un enfant, en précisant qu'elle demandait un «géniteur», «le père [étant] trouvé depuis longtemps» (*RMF*, 173). Alors que Luc comprend tout de suite que la femme dont lui parle le Trickster ne peut être qu'Armelle Ryan, la femme de son père, le Trickster, carcajou ou non, se voit piégé par celle même qu'il a essayé de piéger.

Il nous est difficile de rendre compte du côté drôle et bouffon de la situation, mais il est évident qu'elle incarne un acte transgressif par excellence, par le fait qu'Armelle et le Trickster font l'amour dans un cimetière, qu'Armelle désire faire un enfant sur le silence de tous les morts, qu'elle cherche ainsi à duper — «to trick» — le silence autour d'un passé renié. La même nuit, Félix, de son côté, se décide enfin à faire un deuxième enfant, et on dirait que toute une magie «Trickster» prend le dessus sur une impossibilité de se projeter dans l'avenir.

Le résumé de cette aventure nous permet de mieux comprendre ce qui sera dit autour d'un déjeuner que Luc prendra en compagnie d'Armelle, bien après cet événement. Lorsque la jeune femme lui affirme être sûre de sa grossesse, Luc, «lourd» du secret de l'histoire du cimetière, lui demande à qui elle voudrait que l'enfant ressemble. C'est en réponse à cette question — non exempte de reproches — qu'Armelle lui parle du métissage dans sa famille, de son arrière-grand-père noir qui était steward sur les trains du Canadien national au début du xxᵉ siècle et dont lui reste une photo. Elle évoque également le sang amérindien de Delphine, ajoutant que «Félix en a sans doute aussi, il n'a pas un poil sur la poitrine» (*RMF*, 249). Elle dit par ailleurs à Luc : «Je pourrais avoir un bébé noir, ou alors un tout blond et presque crépu comme Yves, ou encore un presque comme toi, avec des yeux légèrement bridés, pour que vous soyez sûrs d'être des frères. Vous auriez du chinois tous les deux» (*RMF*, 249). Ainsi, la réalité obscurcie du métissage devient, par la projection d'une nouvelle vie qui inclut dans l'espace du possible toutes les histoires du continent nord-américain, un espace d'avenir qui pourrait permettre à une société de s'assumer.

À la lumière de cette analyse, on constate que l'un des principaux moyens qu'emploie le roman pour dire le métissage est la simulation, dans le texte écrit, d'une ambiance d'oralité. Celle-ci est créée par la présence de nombreux dialogues et l'inclusion dans ceux-ci de récits révélant, petit à petit, la texture métissée de la culture québécoise nord-américaine. Mais ce qui nous paraît encore plus intéressant, voire plus efficace, dans ce projet de réécriture, est l'architecture du texte dans son ensemble, qui, par la force d'une énergie «hasardeuse», superpose «à contresens» les histoires, les noue entre elles de façon tout à fait étonnante. Cette architecture métaphorise elle-même le métissage et le *Unheimliche* qu'il représente ; elle malmène en tout cas le lecteur, défie sa logique, lui fait comprendre que la lecture des romans de Suzanne Jacob ne relève pas du «tourisme», mais d'un voyage véritable dont l'organisation consiste «à prendre le risque d'une désorganisation de ce qui va de soi» (*BE*, 81).

4. En guise de conclusion : l'histoire du « H muet » et ce qui en « reste »

Si nous lisons *Rouge, mère et fils* comme une histoire où la portée existentielle du «secret» associé au métissage figure au premier plan, il nous importe de souligner que Suzanne Jacob évite sagement la folklorisation du métissage, car celle-ci le reléguerait, une fois de plus, dans les archives, du côté du déjà-dit, de l'entendu, donc à distance de la vie. L'intérêt du roman consiste, entre autres, dans le fait qu'il aborde le *Unheimliche* du métissage à partir de sa négation dans la langue savante qu'est celle de l'écriture. Dans son essai *La bulle d'encre*, Suzanne Jacob assigne à l'écrivain le devoir de «travailler et [de] faire travailler la langue pour que son œuvre nous fasse prendre conscience de ce dont nous sommes capables, de ce dont nous sommes privés, que nous n'imaginons pas» (*BE*, 48). Il reviendrait donc à l'écrivain de repérer, dans son travail, la part d'étrangeté qui dépasse le consensus linguistique et qui, par ce dépassement même, nous inquiète. L'écriture prendrait alors la dimension d'une réécriture vers un espace d'ouverture nous rappelant «que tout peut être *comme c'est*, que tout peut ne pas être *comme c'est*, et que vivre, c'est précisément redécider son récit jour après jour en y intégrant aussi bien ses expériences récentes que différents modes de les percevoir» (*BE*, 36), en restituant à la langue ses «histoires muettes».

Lorsque, au début du roman, Delphine roule sur l'autoroute, elle pense à la prochaine encre qu'elle fera : «[…] elle l'intitulerait *Écho*. Il fallait qu'elle s'y remette, à la *Suite H*» (*RMF*, 23-24). Quelque deux cents pages plus loin, séjournant à la campagne avec Lorne après la mort de Lenny, elle s'y met enfin. Nous comprenons que cette *Suite H* est une suite d'histoires, de l'encre crachée « sur papier ou sur toile dont les titres *Écho, Ethnie, Hôtel, Khmer, Hiver,* et d'autres encore, comporteront tous un *H* muet » (*RMF*, 227). Aurions-nous là affaire à une mise en abîme très subtilement intégrée dans le texte ? La *Suite H*, refléterait-elle l'ensemble du projet de *Rouge, mère et fils,* où tout tourne autour de la question du *H* muet, de l'Histoire ou des histoires muettes qui restent à dire, à écrire ? Nous le pensons bien, et nous tenons à souligner que l'acte de création dont nous fait part cette scène nous renvoie à ce que nous avons reconnu, au début de nos réflexions, comme « liberté de la lecture », une lecture en liberté qui s'exécute dans l'écriture, ou, comme chez Delphine avec ses encres, dans la peinture. D'ailleurs, l'encre elle-même ne nous renvoie-t-elle pas à l'écriture ?

> Toute la journée, se dit Lorne, pendant que je navigue sur les flots monétaires via Internet et mon téléphone cellulaire, Delphine prépare les chiffons, les éponges, les spatules et la toile blanche. Tu penses que ça y est, que tout est prêt, qu'elle va s'y mettre. Eh bien non. D'abord, elle sort marcher dans le chemin de la Cime, elle s'imprègne des vibrations de l'air comme elle le dit, et enfin, elle s'y met, il faut bien qu'elle invente d'abord[18] […]. (*RMF*, 226-227)

Pour Suzanne Jacob, la lecture est toujours partie prenante du travail d'écriture ; elle est « une prise de vue, de position ou d'écoute, c'est-à-dire une manière de lire qui soit un engagement vis-à-vis de l'œuvre et du monde […][19] ». Elle implique la mise au monde d'une réponse, « l'invention » d'une réponse, ce qui nous convie à penser que les activités de lecture et d'écriture se confondent, constituent un seul et même acte, comme l'illustre le geste créateur de Delphine.

Une des questions principales du roman serait donc de savoir comment il faut procéder pour donner une voix à ces histoires muettes, comment écrire ou peindre à partir du silence, comment réécrire, soit témoigner des *H* muets, comment dire, écrire et peindre ce qui en « reste » et nous inquiète. Comment effectuer cet exercice sur la corde raide étendue entre l'inquiétante familiarité et son éventuelle

---

18. Cette scène nous renvoie également à la transmission d'un mode de lecture (la « lecture de la partition ») que l'auteure doit à sa mère pianiste et dont elle se réclame dans plusieurs de ses écrits. Voir *BE*, 63-65 ; Suzanne Jacob, *Comment pourquoi*, Québec, Éditions Trois-Pistoles, 2002, p. 31-33 ; Suzanne Jacob, « Les lits superposés », conférence inédite, 1993.

19. Suzanne Jacob, *Comment pourquoi, op. cit.,* p. 32.

reconnaissance et les forces négatrices inhérentes à la langue ? Nous considérons *Rouge, mère et fils* comme une œuvre qui « se pose en reste », qui nous rappelle que tout témoignage, face à son incapacité de témoigner, reste toujours à relire et à réécrire au sens où la genèse du livre ne se terminera jamais (*BE*, 93).

Réécrire à l'ère du soupçon insidieux : Amélie Nothomb et le récit postmoderne

ANDREA OBERHUBER

I. Réécrire au féminin ? Approche et définition d'un concept interlope

S'interroger sur le concept de *réécriture* signifie s'intéresser à la fois à la question de la lecture, de l'écriture et de l'écriture de la lecture. Dans le prolongement de cette idée, *réécrire au féminin* implique une réflexion sur les choix de lecture des femmes, le comment et le pourquoi de leurs (re)lectures, mais surtout sur les motivations et les stratégies de leur réécriture[1]. Il va sans dire que la réécriture n'est pas une particularité « féminine ». Depuis la *Poétique* d'Aristote, depuis les réécritures médiévales aussi, depuis l'imitation des modèles érigée en idéal surtout, cette pratique littéraire a partie liée avec l'esthétique scripturale elle-même[2]. Pour les auteures, toutefois, peu nombreuses avant le XXe siècle

---

1. Les lectures de femmes ainsi que les femmes lectrices ont récemment fait l'objet d'un certain nombre d'études fort éclairantes ; par conséquent, je ne m'attarderai pas sur cet aspect ni sur les liens qu'entretient la lecture avec la (ré)écriture des femmes. Sur ce sujet, voir entre autres les ouvrages suivants : Angelica Rieger et Jean-François Tonard (dir.), *La lectrice dans la littérature française du Moyen Âge au XXe siècle/Eine Kulturgeschichte der lesenden Frau in der französischen Literatur von den Anfängen bis zum 20. Jahrhundert*, Tübingen, Niemeyer, 1999 ; Marianne Camus et Françoise Rétif (dir.), *Lectures de femmes : entre lecture et écriture*, Paris, L'Harmattan, 2002 ; pour les *Lectrices d'Ancien Régime*, voir plus particulièrement l'ouvrage d'Isabelle Brouard-Arends (dir.), Rennes, Presses universitaires de Rennes, 2003.

2. Chez Aristote, la réécriture se pose évidemment en termes de *mimèsis*, plus précisément de « poésie d'imitation ». C'est dans le chapitre IV de la *Poétique* qu'il associe la *mimèsis* à la création et non à la simple imitation, car il s'agit de transposer la réalité en figures ou en données narratives ; la *mimèsis* qualifie donc à la fois l'imitation d'un modèle et son résultat, soit la représentation de ce modèle. Voir à propos de la complexité de ce

en raison des divers mécanismes d'éviction sociaux et littéraires qu'on connaît[3], la question se pose autrement. C'est justement cet «autrement» qui nous permet d'explorer la réécriture au féminin telle qu'elle se manifeste dans bon nombre de romans et de récits du xxᵉ siècle, plus précisément dans ce que nous avons l'habitude de nommer le «récit postmoderne». À cette première question sont liés d'autres aspects : la pratique palimpseste dans ses rapports avec le postmoderne ; la fonction critique dans la construction d'une œuvre contemporaine ; les motivations expliquant le «vol» des textes modèles dans le dessein de les réécrire[4]. Comment écrire des romans, des histoires «où l'on voit agir et vivre des personnages» à l'ère du soupçon, s'interrogeait déjà il y a un demi-siècle une Nathalie Sarraute soucieuse de renouveler le genre romanesque[5]. Ou, à la suite d'Adorno, comment, après l'hécatombe de la Seconde Guerre mondiale et l'Holocauste, face à l'effarante «barbarie» déchaînée par les nations «civilisées», justifier l'activité littéraire : «[N]ach Auschwitz ein Gedicht zu schreiben, ist barbarisch, und das frißt die Erkenntnis an, die ausspricht, warum es unmöglich ward, heute Gedichte zu schreiben[6]»? Si, en schématisant, il est devenu «suspect» pour la première et «barbare» pour le second d'écrire des romans ou de la poésie, il faut en définitive s'interroger sur les visées et les enjeux de celles qui font de la réécriture une stratégie poétique. Comment, quelles œuvres et sous quel prétexte réécrire d'un point de vue féminin à l'ère postmoderne ? Jusqu'où aller dans la reprise, l'imitation, le pastiche ? Pourquoi vouloir construire une œuvre à partir d'œuvres antérieures ? Ces questions méritent réflexion.

Dans cette perspective, j'entends par réécriture — selon l'acception la plus générale du terme — toute pratique palimpseste qui consiste en la

concept aristotélicien les commentaires de Michel Magnien dans son «Introduction» à la Poétique, Paris, Librairie générale françaises, coll. «Le livre de poche», 1990, p. 24-30.
3. Christine Planté analyse les difficultés pour les femmes de s'affirmer en tant qu'auteures au xixᵉ siècle, époque qui a pourtant inventé la notion de «femme-auteur» : La petite sœur de Balzac, Paris, Seuil, 1989.
4. Non contentes d'être des «voleuses de langues» — pour reprendre l'expression de Claudine Herrmann (Les voleuses de langues, Paris, Éditions des femmes, 1976) —, les «réécrivaines» deviendraient-elles en plus des «voleuses de textes»?
5. Nathalie Sarraute, L'ère du soupçon. Essais sur le roman, Paris, Gallimard, 1956 ; le renvoi ironique à la définition du roman se trouve à la p. 59.
6. Theodor Adorno, «Kulturkritik und Gesellschaft», dans Prismen, Gesammelte Schriften, vol. 10a, Frankfurt a. Main, Suhrkamp, 1955, p. 30. «[É]crire un poème après Auschwitz est barbare, et ce fait affecte même la connaissance qui explique pourquoi il est devenu impossible d'écrire aujourd'hui des poèmes» (Prismes. Critique de la culture et société, trad. Geneviève et Rainer Rochlitz, Paris, Payot, 1986, p. 23). On sait qu'Adorno, face à la poésie de Paul Celan, a révisé ultérieurement son jugement dernier.

reprise, en tout ou en partie, d'un texte antérieur, donné comme «original» ou «modèle» (*hypotexte*), en vue d'une opération transformatrice dont le degré d'affranchissement, d'explicitation ou de subversion est variable. En conséquence, la réécriture comprend la lecture et l'interprétation d'un modèle générateur-«géniteur», ce qui implique de la part de l'auteure non seulement une prise de distance, mais également une prise de liberté par rapport à l'hypotexte. Il faut s'en éloigner pour le réécrire, l'écrire autrement, le «traduire» en un nouveau texte, l'*hypertexte*[7]. S'installe alors, dans le processus qui sépare l'étape de la lecture de celle de l'interprétation, un espace flou ; et c'est précisément dans cet espace évanescent que peut se déployer l'activité ludique de la réécriture. Parmi les trois types de réécriture — qui ne sont évidemment pas des catégories étanches : l'autoréécriture qu'étudie la génétique textuelle, la réécriture par un tiers, soit par exemple le lecteur/la lectrice d'une maison d'édition, et la réécriture en tant que *praxis* poétique — c'est la dernière forme qui m'intéresse dans le contexte des romans de femmes et du récit postmoderne.

De l'imitation sous forme de parodie ou de pastiche à l'adaptation d'une œuvre pour le théâtre ou le cinéma en passant par la réécriture «transgénérique», la traduction et la critique littéraires perçues comme lecture-réécriture d'une œuvre, les pratiques, fonctions et modalités de réécriture constituent un phénomène littéraire d'une grande richesse. S'agit-il d'une simple manière de faire sa révérence aux prédécesseurs et, par là, d'afficher son appartenance à une école de pensée en se soumettant à un rite initiatique littéraire ? Faut-il voir dans l'emboîtement de deux ou de plusieurs textes un moyen de revoir à la fois les idées et la forme d'un récit ? S'agit-il d'un manque d'inspiration ou de la possibilité d'ouvrir un espace discursif, à l'intérieur duquel les auteures proposent *leur* regard sur une œuvre, *leur* discours sur l'histoire et les histoires, l'héritage culturel et le passé littéraire ? Dans ce nouvel espace se voient démultipliés les pôles et les possibilités de l'*entre-deux*, ce qui permet le dépassement des simples bipolarités, notamment celle entre le *logos* et le *mythos*. Comprise ainsi, la réécriture dans sa double optique de «déconstruction/reconstruction» ne se veut pas un discours globalisant. Toutefois, elle accentue le fait que «la chaîne narrative est

---

7. Comme on peut le constater, je m'inspire de l'hypotexte *Palimpsestes. La littérature au second degré* de Gérard Genette (Paris, Seuil, 1982, p. 7-19) pour proposer une définition opératoire du «réécrire au féminin». Dans la typologie genettienne de la transtextualité, la réécriture s'inscrirait comme variante de l'hypertextualité.

rompue, cassée, éclatée, fragmentée» en divers éléments[8]. Dès lors, la réécriture met en place une riche circulation entre les textes; elle installe une frontière fluide entre les hypotextes et les hypertextes en révélant, par le biais de la transgression des frontières historiques, génériques, stylistiques, etc., la possibilité, si ce n'est la nécessité, de lectures *autres* d'un corpus littéraire donné.

Par la conception du roman qu'elle illustre depuis une dizaine d'années, l'œuvre d'Amélie Nothomb conjugue les deux idées principales qui nous guident à travers cet article, celle d'une réécriture au féminin érigée, en quelque sorte, en programme romanesque et celle du récit dit «postmoderne[9]» dans son orientation «contrafacturelle[10]» et son désir fabulateur. Afin de montrer l'interdépendance des modalités de réécriture de cette auteure et des prémisses de la postmodernité, je m'arrêterai plus particulièrement à deux romans: *Mercure* et *Métaphysique des tubes*[11]. C'est que, dans ces deux récits, Amélie Nothomb dépasse largement les stratagèmes du palimpseste présents dans tous ses romans, soit les titres allusifs et les références intertextuelles ponctuelles. D'autres raisons ont motivé ce choix. Dans les deux textes en question, l'auteure focalise son travail de réécriture à la fois sur des mythes fondateurs de la «féminité» et sur le grand récit des origines. Comme chez d'autres romancières, le recours aux modèles générateurs de base se fait dans le souci d'un rééquilibrage entre les sexes en faveur d'une revalorisation du personnage féminin[12]. Le choix de ces figures de femmes n'est évidemment pas anodin: élire des symboles de l'ambiguïté revient à défendre implicitement la logique de l'ambiguïté. Serait-ce là un trait féminin de la réécriture? De manière générale, la

---

8. Voir Françoise Rétif, «De la lecture à la réécriture des mythes. Éléments d'une critique et d'une esthétique», dans Marianne Camus et Françoise Rétif (dir.), *op. cit.*, p. 196-197. L'auteure développe ces idées à propos de l'espace utopique et du discours mythique dans les œuvres d'auteures contemporaines.

9. On peut effectivement se demander, s'il ne serait pas plus approprié de remplacer, comme on le constate à la lecture des publications anglo-saxonnes, «postmoderne» par «postmoderniste». Pour des raisons de clarté et par coutume terminologique française, j'utiliserai les termes «postmoderne» et «postmodernité».

10. Je forge ce néologisme à partir du terme musical «contrafacture», voir la présentation de ce numéro.

11. Amélie Nothomb, *Mercure*, Paris, Albin Michel, 1998; *id.*, *Métaphysique des tubes*, Paris, Albin Michel, 2000. Ces œuvres seront dorénavant désignées à l'aide des sigles (*M*) et (*MT*), suivis du numéro de la page.

12. C'est ce que constate Marie Miguet-Ollagnier dans son étude des œuvres de Marguerite Yourcenar, de Michèle Sarde et d'Hélène Cixous, auteures qui procèdent à une revalorisation des figures de femmes mythologiques telles qu'Eurydice et Jocaste: *Métamorphoses du mythe*, Paris, Les Belles Lettres, 1997.

transformation d'un ou plusieurs invariants du modèle générateur, le déplacement de l'intérêt vers des figures marginales tendent à bouleverser sa structure profonde en vue de sa réinterprétation. Chez Amélie Nothomb, d'autres motivations, plus personnelles, plus secrètes donc, sont à découvrir ; elles vont dans le sens de la désacralisation et de l'iconoclasme.

2. Le retour du plaisir narratif à l'ère postmoderne : les fabuleuses histoires d'Amélie Nothomb

La réécriture des «grands récits», appelés par Jean-François Lyotard plus précisément «récits de la légitimation» du savoir et du pouvoir[13], est au cœur du projet littéraire postmoderne. Des récits souvent ironiques, voire parodiques, composent les moments forts du renouvellement narratif après l'ère du soupçon. Marquant la «fin des interdits», la nouvelle logique romanesque est caractérisée par un retour au récit, à la fiction, au sujet, par un goût prononcé pour des formes d'écriture ludiques et une ouverture aux voix d'autrui[14], ainsi que par divers emprunts aux esthétiques antérieures, notamment baroques, sans que cela signifie l'adoption d'une posture nostalgique : les lecteurs assistent à la déconstruction, à des parodies, à la relecture suivie de réécritures ludiques des modèles antérieurs. C'est le cas, entre autres, d'Amélie Nothomb, auteure postmoderne, la «non-conformiste aimée du public», comme le titra Le Monde à la suite de ses impressionnants chiffres de vente et ses nombreuses récompenses littéraires[15]. Enfant terrible de la littérature depuis ses débuts romanesques en 1992, star de la rentrée littéraire 2000 avec Métaphysique des tubes, elle suscite par son excentricité l'intérêt des médias et divise les critiques littéraires[16].

13. Jean-François Lyotard, La condition postmoderne : rapport sur le savoir, Paris, Minuit, 1979. Sur le sujet de la fin de la modernité, on lira avec intérêt le chapitre «Et le postmoderne ? ! Est-ce la fin de la modernité ? ! » qu'Alexis Nouss consacre à cette litigieuse question dans La modernité, Paris, J. Grancher éditeur, 1991.

14. Voir, pour plus de détails, Dominique Viart, «Le récit "postmoderne"», dans Dominique Viart et Franck Baert (dir.), La littérature française contemporaine, questions et perspectives, Louvain, Presses universitaires de Louvain, 1993, p. 156-163.

15. Dès le début de sa carrière, Amélie Nothomb accumule les prix : le prix René-Fallet pour Hygiène de l'assassin (1992), son premier roman, le prix Atout-Lire pour Le sabotage amoureux (1993), le prix de Jouvenel pour Les Catilinaires (1995), le Grand Prix du roman de l'Académie française pour Stupeur et tremblements (1999), et puis également le prix de la Vocation, le prix Chardonne, le prix Paris-première, le Prix franco-européen.

16. Alors que, dès leur parution, tous les romans sont régulièrement recensés dans plusieurs revues et périodiques littéraires (citons à titre d'exemples le Magazine littéraire ; Lire ; Liberté ; Jeu ; Spirale ; Québec français) et que l'auteure est le plus souvent encensée par la

2.1 Le recours aux contes de fées et leur réécriture dans Mercure

Loin du roman «néohistorique» incarné par Marguerite Yourcenar, loin du roman «mythique» souvent aux confins de l'histoire chez Sylvie Germain, loin aussi du roman «interculturel» à la manière d'Assia Djebar, Amélie Nothomb s'inscrit largement dans les grandes tendances de la postmodernité littéraire. Cependant, l'auteure d'origine belge, cosmopolite grâce à ses nombreux séjours dans des pays du monde entier, est avant tout une raconteuse d'histoires ; le plaisir narratif envahit quasiment la totalité de sa production romanesque[17]. Si, depuis Hygiène de l'assassin[18], l'on peut considérer une grande partie de son œuvre comme une sorte de réécriture endémique du sempiternel combat entre beauté et hideur, monstruosité et normalité, «masculin» et «féminin», la réécriture au sens plus strict emprunte des chemins sinueux. Nothomb insère dans ses récits des fragments de contes de fées, puis les masque et les détourne ; elle reprend les grands mythes et leurs figures symboliques, puis les recontextualise et les parodie ; elle transpose à l'époque contemporaine le récit fondateur de la civilisation judéo-chrétienne, la Genèse, ensuite la féminise et la place dans un contexte interculturel.

Dans Mercure, qui se veut le «Journal de Hazel» (M, 9), un vieil homme mystérieux occupe une île au large du Cotentin, Mortes-Frontières, où il règne en despote. Ancien capitaine aventurier devenu riche, après avoir traversé les mers, Omer Loncours — nomen est omen

presse, féminine ou autre (Le Nouvel Observateur ; Le Point ; Châtelaine ; La Vie ; Psychologies), ainsi que par La Revue générale belge (ce qui est moins surprenant), la critique littéraire universitaire s'est montrée jusqu'à tout récemment réservée à l'égard de cette auteure. Témoignent cependant d'un nouvel intérêt pour l'écriture de Nothomb les ouvrages suivants : Susan Bainbrigge et Jeanette den Toonder (dir.), Amélie Nothomb. Authorship, Identity and Narrative Practice, New York, Peter Lang, 2003 ; Margaret-Anne Hutton, « "Personne n'est indispensable, sauf l'ennemi" : l'œuvre conflictuelle d'Amélie Nothomb», dans Nathalie Morello et Catherine Rodgers (dir.), Nouvelles écrivaines, nouvelles voix ?, Amsterdam-New York, Rodopi, 2002, p. 253-268 ; Fabienne Eliane Ardus, The Discourse of Alterity in Contemporary French-Speaking Belgium : Claire Lejeune, Caroline Lamarche, Nicole Malinconi and Amelie Nothomb, thèse de doctorat non publiée, University of Southwestern Louisiana, 1999.

17. À propos de ce renouveau du romanesque, Dominique Viart (Le roman français au XXᵉ siècle, Paris, Hachette supérieur, coll. «Les fondamentaux», 1999, p. 126-127) reprend le terme «nouvelle fiction» que s'est attribué un groupe d'écrivains opposé au Nouveau Roman, en faisant l'éloge du récit. Le modèle ultime de la nouvelle fiction serait le mythe, si celui-ci «excède l'anecdote, méconnaît la simple psychologie pour obéir à des ressorts bien plus obscurs et plus essentiels». Cette description correspond précisément à l'utilisation que fait Nothomb du matériau mythique.

18. Amélie Nothomb, Hygiène de l'assassin, Paris, Albin Michel, coll. «Points», 1992.

chez Nothomb — a fait bâtir une maison-forteresse pour y retenir captive une jeune femme, Hazel, la narratrice, qu'il a sauvée pendant la guerre[19] et à qui il fait croire qu'elle avait été défigurée dans un bombardement. À cette première trame narrative se greffe une seconde — appelons-la «l'histoire spéculaire» — par laquelle entre en jeu la réécriture de certains contes de fées et toute une panoplie de références intertextuelles. C'est que pour enfermer sa jeune protégée avec lui sur l'île et s'inventer une nouvelle vie, Omer Loncours, le mythomane, enlève systématiquement tous les miroirs et toute surface pouvant réfléchir le visage d'Hazel, son éblouissante beauté, sans égratignure ni cicatrice. La Belle captive métamorphosée en Cendrillon par un insidieux mensonge passe plusieurs années de sa vie auprès de la Bête, sans même attendre le prince charmant. On l'aura compris : trois contes de fées sont revisités dans *Mercure* et font l'objet d'une réécriture. Il s'agit, d'une part, de *La Belle et la Bête*, modèle antérieur dominant, facilement perceptible par le lecteur, et, d'autre part, de deux contes sous-jacents, exploitant *ex negativo* le mythe de la jeune femme en attente d'être sauvée par le prince charmant : *Cendrillon* immobilisée par sa prétendue laideur et *La Belle au bois dormant*, inconsciente. Cependant, le prince arrive sur l'île en la personne d'une infirmière. Ce sera grâce à Françoise Chavaigne que les manigances d'Omer seront dévoilées et qu'Hazel revivra une nouvelle fois le stade du miroir. Car, à chaque visite médicale sur l'île, l'infirmière apportait un thermomètre pour y extraire le mercure qui lui servait à fabriquer un substitut de miroir. Aussi Françoise joue-t-elle le rôle d'un Mercure féminin dépêché, faut-il croire, par intervention divine au chevet de la malade, dans le dessein de la sauver de son exil involontaire. Au moyen de son travestissement féminin, Mercure contrecarre les plans de l'éminente figure de la mythologie grecque évoquée à travers le prénom Omer : tel l'auteur de l'*Odyssée*, le vieux capitaine, après ses errances, structure et organise la vie d'une victime de la guerre ; et tel Ulysse lui-même, il use de cent ruses pour parvenir à son but : nourrir chez sa pupille une fausse perception d'elle-même, tissée patiemment, afin de lier inextricablement leurs

---

19. C'est vers la fin seulement que le lecteur/la lectrice comprend à travers certains indices qu'il s'agit de la Première Guerre mondiale. Le rôle de l'infirmière Françoise prend alors une signification symbolique, même allégorique : anges aux yeux des milliers de blessés de guerre, les infirmières représentent une «féminité» plutôt traditionnelle, tout en présageant la figure de la *New Woman*, indépendante et libérée des anciens modèles ancestraux grâce au travail rémunéré, celle qui dominera l'imaginaire de l'entre-deux-guerres. Françoise sera aux yeux d'Hazel l'ange salvateur et la «nouvelle femme» émancipée.

destins. Les fils de cette toile seront défaits par le courage et l'astuce de Françoise. Cette vision manichéenne, typique des contes de fées, est toutefois nuancée chez Amélie Nothomb. Le roman semble se terminer sur une note idyllique du type « Et elles vécurent heureuses jusqu'à la fin de leurs jours[20] » : Hazel et Françoise sont bénies par Omer, converti en bon père, bien que toujours aussi amoureux de sa pupille ; elles quittent l'île et s'installent dans un « appartement admirable face à Central Park » (M, 204). Mais l'auteure propose un second aboutissement. Séparée du premier par une « Note de l'auteur », qui avoue avoir « ressenti l'impérieuse nécessité d'écrire un autre dénouement » (M, 205), la deuxième issue, plus troublante, débute au moment où Françoise s'apprête à libérer Hazel de sa prison. Loin de se situer à l'opposé de la fin prétendument heureuse, la réécriture de celle-ci se donne à lire plutôt comme une variation psychanalytique du couple symbiotique Omer-Hazel. L'ancien modèle du bourreau et de sa victime se voit, en effet, perpétué au féminin : après la noyade du vieux capitaine, le lecteur assiste à un échange dialogique entre Hazel et Françoise qui détonne par rapport à la précédente relation de complicité féminine :

> — Il est mort, finit par dire la pupille, hébétée.
> — Sûrement. Il n'était pas amphibie.
> — Il s'est suicidé ! s'indigna la jeune fille.
> — Bien observé.
> La petite éclata en sanglots.
> — Allons, allons ! Il avait fait son temps, le vieux. (M, 219)

Sous le masque de l'infirmière angélique, apparaît en décalcomanie le vrai visage de Françoise. Bourreau à son tour, elle perpétue dans la tradition de son prédécesseur le mensonge de la laideur d'Hazel. L'ironie atteint son apogée, lorsque la victime âgée de soixante-dix ans apprend enfin la vérité sur sa splendeur physique et sa vie. L'instant de pétrification passé, elle se montre sereine, presque béate et, surtout, nullement rancunière. Au contraire, elle remercie la menteuse de lui avoir épargné « la tentation d'aller [s]e montrer au monde entier » et « les mille souffrances que les humains et le temps infligent à la beauté » (M, 226). Hazel semble avoir visiblement intériorisé son rôle de victime. Ou devrions-nous comprendre son attitude comme l'expression d'une

---

20. La scène de séparation entre Omer et Hazel est imprégnée de l'ambiance incestueuse qui avait caractérisé leur relation de couple : « Il la serra dans ses bras. Il prit le visage de son amour entre ses mains et la mangea des yeux. C'est elle qui tendit les lèvres vers les siennes » (M, 201).

retraite esthétique, d'une prise de position favorable à la monstruosité ? Les dernières phrases du récit, évoquant à nouveau *La Belle et la Bête*, sont révélatrices à cet égard. Si dans le couple homme-femme les rôles étaient clairement distribués, il n'en est pas de même pour Françoise et Hazel. Puisque les deux femmes sont belles, le monstrueux ne relève que de la personnalité de celle qui, selon la logique du trompe-l'œil, se fait passer pour l'unique beauté ; la monstruosité relève de l'ordre psychologique et non physique.

De quoi le lecteur rit-il à la toute fin ? De la trop grande naïveté d'Hazel, qui serait alors « bête » au sens adjectival du terme parce qu'elle se serait laissé prendre au même piège deux fois de suite ? Rire jaune à propos du caractère monstrueux, froid et calculateur de Françoise ? Ou rire complice de concert avec l'auteure qui non seulement se joue des lieux communs concernant la beauté, la passivité et l'ingénuité féminines véhiculées abondamment dans les contes de fées, mais se moque en même temps, bien qu'elle affirme le contraire[21], des nouvelles narrations interactives[22] ? Traditionnel dans sa conception du livre, *Mercure* n'offre pas au lecteur une autoconstruction possible du récit. Mais il propose deux dénouements mis en regard comme dans un jeu de miroir. Dès lors, le lecteur est pris au piège : puisque la seconde fin est annoncée par l'auteure comme un dénouement qui s'imposait à elle, la curiosité le pousse à aller jusqu'au bout de la double fiction. Connaissant les deux versions, il se retrouve devant l'embarras du choix. Pour quelle voie opter lorsque ni l'une ni l'autre ne constitue un aboutissement satisfaisant ? Le choix ne pourra (ne devra ?) se faire, parce que le dédoublement conclusif de la même intrigue incite à faire face au leurre fictionnel, à naviguer constamment, comme Omer et Françoise, entre la vérité et le mensonge, l'île et la terre ferme. Rira bien qui rira le dernier ! Comment, dans un récit sur le miroitement et la duplicité, la réécriture ne se voudrait-elle pas, elle aussi, double ? Dans un premier temps, sur le plan intertextuel, elle permet à Amélie Nothomb de déplacer un certain nombre d'idées reçues transmises par les contes de fées et les récits mythologiques ; dans un deuxième temps, intratextuellement, par la variation du même thème, *Mercure* ouvre l'espace vers un troisième lieu de lecture, celui du soupçon et de l'incertitude.

21. Toujours dans la « Note de l'auteur », Amélie Nothomb affirme qu'elle ne subit pas l'influence « des univers interactifs qui sévissent aujourd'hui dans l'informatique et ailleurs : ces mondes [lui] sont totalement étrangers » (M, 204).

22. Ces cyber-récits proposent au lecteur différentes options pour continuer la trame d'une histoire, lui déléguant ainsi une responsabilité narrative partielle dans la construction du récit.

Le couple néfaste du bourreau et de la victime dans leur perverse interdépendance sera exploré à nouveau dans *Stupeur et tremblements*[23], roman à tendance autobiographique, qui figurera dans la sélection du Goncourt et qui méritera le Grand Prix du roman de l'Académie française et le Premier Prix Internet du livre. Dans la lutte de pouvoir que se livrent une jeune Occidentale et sa supérieure hiérarchique japonaise, les rôles ne sont pas clairement distribués non plus : chacune est à la fois le bourreau et la victime de l'autre. Cette dialectique psychologique mise à part, le texte est parsemé de références bibliques : d'un côté, parce que le combat à armes inégales entre Amélie-san et mademoiselle Mori suggère la comparaison avec David et Goliath, et, de l'autre, parce que les deux femmes incarnent à tour de rôle quatre des sept péchés capitaux : la colère, l'envie, l'orgueil et la paresse, bien que le dernier vice soit avant tout un problème de perception interculturelle[24].

2.2 De la réécriture du mythe des origines à la création d'un « texte-supplément[25] » dans Métaphysique des tubes

Si, dans *Stupeur et tremblements*, l'auteure se contente de tisser en filigrane sa toile de références bibliques et que, dans *Mercure*, elle se plaît à déconstruire certains mythes, contes de fées et autres idées reçues sur le « féminin » et le « masculin », l'enjeu de la réécriture s'avère plus complexe dans *Métaphysique des tubes*. Dès l'*incipit*, le ton est donné : s'y voit réécrit le plus fondateur des « grands récits », soit le mythe des origines. Sur un mode d'apparente gravité, Amélie Nothomb s'attaque à la Genèse, en travestissant l'image du Dieu créateur, omnipotent et — quiconque aura lu les premières lignes de la Bible s'en souviendra — conscient de son acte fondateur. Dans la *Métaphysique* de l'an 2000, Dieu est, au contraire, l'incarnation du nihilisme :

---

23. Amélie Nothomb, *Stupeur et tremblements*, Paris, Albin Michel, 1999.

24. Mademoiselle Mori considère Amélie-san comme prétentieuse et paresseuse à la fois. Pour la remettre à sa place (de petite employée de bureau, qui plus est étrangère), elle l'accable de travaux de comptabilité et finit par la déléguer aux services de nettoyage des toilettes d'hommes. Cette démarche d'humiliation systématique est le résultat d'un parfait malentendu culturel : dépassant ses compétences culturelles (Amélie-san brillait, entre autres, dans le rituel nippon de la préparation du thé), elle confirme chez l'« autochtone » un certain nombre de clichés tout en provoquant en elle un profond sentiment de rivalité.

25. J'emprunte ce terme à Barbara Havercroft qui l'a illustré et théorisé dans son analyse du conte « Auto-expérimentation : rapport annexe » de Christa Wolf : « Féminisme, postmodernisme et texte-supplément », *Tangence*, n° 39, mars 1993, p. 51-61.

Au commencement il n'y avait rien. Et ce rien n'était ni vide ni vague : il n'appelait rien d'autre que lui-même. Et Dieu vit que cela était bon. Pour rien au monde il n'eût créé quoi que ce fût. Le rien faisait mieux que lui convenir : il le comblait. [...] Dieu était l'absolue satisfaction. Il ne voulait rien, n'attendait rien, ne percevait rien, ne refusait rien et ne s'intéressait à rien. La vie était à ce point plénitude qu'elle n'était pas la vie. Dieu ne vivait pas, il existait. (*MT*, 7)

Ces « antiphrases » évoquent immédiatement le caractère paradoxal du titre. Comment concilier deux notions aussi contradictoires que la *métaphysique* et les *tubes*, notamment s'il est question d'établir un rapport de logique sémantique entre les deux ? Après l'actualisation des sept péchés capitaux, de quelle étoffe — religieuse ou philosophique — sera cette nouvelle métaphysique ? Comme dans les récits précédents, la réécriture favorise la relecture à travers l'écho que se renvoient différents modèles générateurs. Elle se situe ici au croisement de deux textes fondateurs de la civilisation judéo-chrétienne, l'Ancien Testament et le Nouveau. Ces premières phrases rappellent tout d'abord le début de l'Évangile selon saint Jean — « Au commencement était le Verbe. Et le Verbe était avec Dieu » — en substituant, par le biais d'une antithèse implicite, le néant (« rien ») à la parole divine (« le Verbe ») ; puis, elles détournent le début de la « Genèse » : « Au commencement, Dieu créa le ciel et la terre. [...] Et Dieu vit que cela était bon. » En empruntant le ton archaïque de la Bible, dans ce roman qui se révélera autofictionnel, Nothomb lance un défi à la métaphysique. Visiblement, dans sa neuvième œuvre, Amélie Nothomb ne succombe pas à « l'épreuve du désenchantement[26] » à laquelle se heurtent d'autres romanciers de sa génération. L'année 2000 semble être pour elle l'occasion rêvée d'entrer dans le champ métaphysique, sans que cette nouvelle aventure romanesque prétende au statut de « recherche rationnelle ayant pour objet la connaissance de l'être absolu, des causes de l'univers et des principes premiers de la connaissance[27] ». Là n'est pas l'enjeu. Comparer Dieu à un objet aussi banal et trivial qu'un tube subvertit l'ordre du monde et enlève d'office toute envergure théologique à la manière dont seront traitées l'image de Dieu et l'origine du monde :

Les seules occupations de Dieu étaient la déglutition, la digestion, et, conséquence directe, l'excrétion. [...] Dieu ouvrait tous les orifices nécessaires pour que les aliments solides et liquides le traversent. C'est pourquoi, à ce stade de son développement, nous appellerons Dieu le tube. Il y a une métaphysique des tubes. (*MT*, 9)

26. Dominique Viart, *Le roman français au xxe siècle, op. cit.*, p. 142.
27. *Le Nouveau Petit Robert*, Paris, Dictionnaires Le Robert, 2003, p. 1620.

Pour définitivement confondre les sceptiques, en tant que bon exégète qui se respecte, le narrateur (on comprendra plus tard qu'il s'agit en réalité d'une narratrice) renvoie à une autorité de la discipline en question : «Slawomir Mrozek a écrit sur les tuyaux des propos dont on ne sait s'ils sont confondants de profondeur ou superbement désopilants» (*MT*, 9). La référence parodique à ce parfait inconnu mime et, par là, mine la stratégie rhétorique du discours religieux référentiel, pratiqué par les exégètes de la Bible. Chez Nothomb, cet emprunt discursif est signe avant-coureur de la démystification d'une pensée «autoritaire» — qui sera démasquée comme leurre.

Les premiers jalons anti-métaphysiques étant posés sur un ton scatologique, non dépourvu d'autodérision, le narrateur/la narratrice continue ses digressions sur les nombreux traits de Dieu, inquiétants aux yeux de son entourage. La stupeur et les tremblements cèdent la place au sourire, lorsque le lecteur se rend compte que ce Dieu amorphe est en vérité une jeune enfant de deux ans et demi. Le récit peut alors afficher son objectif principal : relater au «je» les trois premières années nipponnes de la narratrice. L'analogie entre le «il» devenu «je» et Dieu garantit la cohérence de l'intrigue principale, soit la genèse d'une fille de deux ans et demi qui accède au statut du sujet parlant «par la grâce du chocolat blanc» (*MT*, 36), belge, bien entendu. S'insère dans les interstices de cette analogie la réécriture des «grands récits». Car, tout au long de ce roman méta-métaphysique, la comparaison avec Dieu ou son incarnation humaine, Jésus, se poursuit grâce aux nombreux parallèles qu'établit le «je» avec des scènes de la Bible. Elles vont d'Adam et Ève qui «parlaient flamand, comme le prouva scientifiquement un prêtre du plat pays» (*MT*, 17) à la crucifixion de Jésus lors d'une noyade imminente du «je» :

> Moi aussi, je m'étais trouvée dans cette situation : être en train de crever en regardant les gens me regarder. Il eût suffi que quelqu'un vînt retirer les clous du crucifié pour le sauver : il eût suffi que quelqu'un vînt me sortir de l'eau, ou simplement que quelqu'un prévînt mes parents. (*MT*, 85)

À la mise en parallèle entre Dieu et l'enfant-narratrice viennent s'ajouter, tels les grains d'un chapelet, d'autres épisodes de la Bible[28]. C'est

---

28. Je me contente d'en citer les plus significatifs par ordre de leur occurrence dans le texte. À la première noyade involontaire, la narratrice se voit dotée de la même capacité de marcher sur l'eau que Jésus ayant marché sur le lac Génézareth : «Le Christ marchait sur les eaux ; moi je faisais monter le sol marin» (*MT*, 79) ; la nouvelle du départ du Japon, qui menace son paradis sur terre, inspire à la narratrice l'aphorisme biblique «Ce qui t'a été donné te sera repris» (*MT*, 136) ; pour ses trois ans, la narratrice reçoit trois carpes,

que, dès son enfance, la narratrice lit la Bible en secret. D'où, faut-il croire, les nombreuses allusions aux histoires allégoriques de l'Ancien et du Nouveau Testament.

Mais qu'advient-il de la métaphysique des tubes dans ce feu d'artifice de références bibliques dévoyant le mythe fondateur dans le récit d'enfance d'une petite fille[29]? Au milieu de ce bruissement référentiel, afin de revenir à la question originelle, faisons arrêt sur image au moment où la narratrice est menacée de se noyer une seconde fois. Par-delà les images messianiques du «pécheur des hommes» et du symbole des poissons, ce passage a valeur prémonitoire: sentant, tel le Christ à la dernière cène, la mort approcher, la narratrice faillit emboîter définitivement le pas à celui-ci, afin d'échapper au supplice suprême que représente à ses yeux la vision du «tube digestif à l'air» (MT, 158) des trois carpes offertes par ses parents pour fêter l'âge fatidique de ses trois ans. Des tubes digestifs émane visiblement un pouvoir d'attraction néfaste; le «je» hypnotisé se laisse tomber dans le bassin des carpes et — miracle!

— la métaphysique des tubes revient à la nage: «La troisième personne du singulier reprend peu à peu possession du «je» qui m'a servi pendant six mois. La chose de moins en moins vivante se sent redevenir le tube qu'elle n'a peut-être jamais cessé d'être» (MT, 166). Contrairement à la première noyade, la mort annoncée a perdu son caractère effrayant; le «je» s'abandonne désormais à la régression à l'état de tube. Ce moment crucial entre l'état divin et le devenir humain est symboliquement ponctué par la bataille entre «l'Anté-moi» (MT, 73) incarné par Kashima-san, méchante et cruelle gouvernante, et l'archange Nishio-san, première figure de confiance de la narratrice et image de la bonne mère.

C'est donc grâce à l'«entre deux eaux» (MT, 171) que la narratrice retrouve son premier élan métaphysique, car cet état intermédiaire lui

poissons emblèmes du Japon qu'en hommage à la sainte Trinité elle baptise aussitôt Jésus, Marie et Joseph, et qu'en conséquence elle nourrit en «[p]rêtresse piscicole: je bénissais la galette de riz, la rompais et la lançais à la flotte en disant: — Ceci est mon corps livré pour vous» suivi d'un blasphématoire «Les sales gueules de Jésus, Marie et Joseph rappliquaient à l'instant» (MT, 148).

29. Des réminiscences d'autres textes, tous laïques, viennent régulièrement ponctuer la narration sur la petite enfance; sous forme de citation à la fameuse morale lafontainienne: «Tels furent pris qui crurent prendre» (MT, 13) et à Tristan et Iseut par le «philtre d'amour» (MT, 49), qui unit la narratrice à sa sœur Juliette; sur le mode allusif au mythe d'Orphée et d'Eurydice (MT, 54 sq.) culminant dans «Eurydice est si séduisante qu'on a tendance à oublier pourquoi il faut lui résister» (MT, 55); à Tintin que la narratrice lit à un âge où elle n'est pas encore soupçonnée de savoir lire (MT, 111); à Tartuffe lorsque la narratrice doit se cacher sous la table de la cuisine pendant la dispute entre les deux gouvernantes Nishio-san et Kashima-san (MT, 128-129).

permet de clore en toute sérénité *son* récit des origines, celui qu'elle narre à sa manière en réécrivant le grand récit de la Genèse. C'est de sa propre origine, du mystère de l'incarnation, de la petite fille dans son état divin, de ces quelques années de bonheur passées au pays du Soleil Levant où les enfants, de la naissance jusqu'à l'âge de trois ans, sont vénérés comme des dieux, que la narratrice veut se souvenir avant de vivre le calvaire de l'existence humaine, le déchirement culturel. *Métaphysique des tubes* est donc aussi — et peut-être avant tout — un livre commémoratif. Se souvenir devient un devoir de mémoire : « Tu dois te souvenir ! Tu dois te souvenir ! Puisque tu ne vivras pas toujours au Japon, puisque tu seras chassée du jardin, puisque tu perdras Nishiosan et la montagne, puisque ce qui t'a été donné te sera repris, tu as pour devoir de te rappeler ces trésors. Le souvenir a le même pouvoir que l'écriture » (*MT*, 139). La mémoire génère, ici sous la forme d'un récit autofictionnel, ce que Barbara Havercroft appelle le « texte-supplément » : *Métaphysique des tubes* se substitue au mémoire officiel que devait rédiger le consul belge, le père de la narratrice, pour rendre compte de ses années de service au Japon, et que nous ne lirons sans doute jamais.

Résumons : dans *Métaphysique des tubes*, Amélie Nothomb tisse, en racontant le moment providentiel où la narratrice passe du stade « tube » (à la troisième personne du singulier) à la manifestation d'une identité à la première personne, une nouvelle fiction de la Genèse, de sa propre genèse. L'auteure procède à une mise à mort du mythe divin et réinterprète celui de la Création qui instaure la femme dans la position de l'« Autre absolu, sans réciprocité[30] ». Le miracle de la métamorphose peut se déployer grâce à un morceau de chocolat blanc offert par la grand-mère. Si le miracle a lieu pour le Dieu-tube, le mystère de l'incarnation humaine demeure entier pour les parents. Le monde des adultes est divisé entre les incrédules et ceux qui croient à l'expérience de la volupté qui leur « monte à la tête, [leur] déchire le cerveau et y fait retentir une voix qu'[ils] n'avai[en]t jamais entendue » (*MT*, 36). Dans ce récit de l'origine réécrit au féminin, la (re)naissance du sujet est la condition *sine qua non* pour que le récit puisse devenir autobiographique : « C'est moi ! C'est moi qui vis ! C'est moi qui parle ! Je ne suis pas « il » ni « lui », je suis moi ! » (*MT*, 36). Et le « je » de déclarer comme dans toute autobiographie traditionnelle : « Ce fut alors que je naquis, à l'âge de deux ans et demi, en février 1970, dans les montagnes du Kansai, au village de Shukugawa, sous les yeux de ma grand-mère

---

30. Simone de Beauvoir, *Le deuxième sexe*, t. I, Paris, Gallimard, 1949, p. 233.

paternelle, par la grâce du chocolat blanc» (MT, 36). En fictionnalisant sa vie, en s'autoglorifiant, en exploitant plus avant la veine analogique entre le «je», Dieu le père et le Christ, le sujet féminin parvient à faire sa glorieuse (r)évolution. Au commencement était le Verbe, nous apprend la Bible. Le plaisir de fabulation est dorénavant lié inextricablement à la position de ce sujet ressuscité, que l'entourage de la narratrice y croie ou, comme sa sœur, la traite de menteuse. Cette naissance retardée engendre l'(auto)fiction et rend vitales à la fois l'écriture et la réécriture[31].

La question du discours féminin sur l'origine du monde et la genèse de l'être humain est omniprésente dans cette métaphysique hétérodoxe. Elle prend la forme d'un discours caustique qui instaure, au plus tard dans la scène du chocolat belge, une distance ironique entre le récit et le lecteur : de quel droit une petite fille oserait-elle se substituer à Dieu, si ce n'est parce que la société d'accueil lui réserve cette position privilégiée ? De quel droit cette même petite fille peut-elle prétendre témoigner de sa socialisation biculturelle, alors que son père occupe le poste de consul de Belgique, si ce n'est parce que ce père est un être distrait qui tombe dans les égouts et s'intéresse plus au nô qu'à ses enfants ? De quel droit, finalement, ose-t-elle proférer des propos misanthropes au sens d'anti-hommes, si ce n'est parce que certains traits et rituels de la culture nippone lui livrent des arguments probants[32] ? Cependant, Amélie Nothomb ne recourt pas aux stratégies subversives de l'écriture féminine proprement dite[33] ; celles-ci sont remplacées par une écriture postmoderne où la joie fictionnelle prend le dessus sur les expériences langagières tout en conservant le sourire ironique d'une Méduse.

---

31. À la question du journaliste Stéphane Lambert, «L'écrivain remplace-t-il son enfance par l'écriture», Nothomb répond : «C'est un beau métier, en effet. J'écris quatre heures par jour. Ça signifie que, quatre heures par jour, je suis un enfant, même si ce que j'écris n'a rien de puéril. Renaissent la force de l'enfance, le pouvoir de l'enfance, la liberté totale et la notion de jeu dès que j'ai un stylo en main» («L'oralité est effrayante», *Rencontres du mercredi*, entretiens réalisés par Stéphane Lambert, Bruxelles, Ancre rouge, 1999, p. 25).

32. Dans le chapitre sur le mois de mai pendant lequel les Japonais hissent de «grands poissons rouges» en l'honneur des garçons, la narratrice, en guerre contre les poissons, finit par apprendre que la carpe est dans la culture nippone le symbole de la masculinité. Et elle conclut donc : «Les Japonais avaient eu raison de choisir cette bête pour emblème du sexe moche» (MT, 99). Ce trait culturel contribue visiblement à sa prise de conscience qu'il existe des différences sexuelles sur terre, et ce, dans le meilleur des mondes possibles !

33. Sans vouloir simplifier outre mesure cette forme d'écriture proprement féminine telle que théorisée, entre autres, par Hélène Cixous dans «Le rire de la Méduse» (L'Arc, n° 61, 1975, p. 39-54), l'accent est mis sur le côté matériel du langage, la transformation de la syntaxe, l'exploitation du double sens des mots, etc.

3. Jeu et récit postmoderne

De ce qui précède, un constat s'impose : l'on peut pratiquer la réécriture comme un jeu, s'il est vrai que toute lecture-interprétation contient une part ludique[34]. L'écriture serait-elle à traiter comme un jeu (dans le cas d'Amélie Nothomb comme un jeu d'enfant ?) et, par conséquent, la réécriture comme un effet de lecture au deuxième ou troisième degré ? Qui dit «jeu» et «ludique» à propos de la littérature de la seconde moitié du xxe siècle se sent obligé de proférer dans le même souffle «récit postmoderne». Indubitablement, les différentes modalités de réécriture au féminin tendent à s'approprier l'héritage littéraire, à revisiter en tranches choisies les biens culturels, afin d'en recycler certains éléments. Selon la célèbre boutade postmoderne du «Rien ne va plus, *anything goes*», tous les textes antérieurs sont *a priori* recevables, mais seuls certains seront repris, repensés, réécrits. C'est une question d'auteure, d'époque, de culture, de mode... et de sexe. Car, non seulement les femmes lisent autrement, elles lisent et relisent visiblement aussi d'autres textes[35]. En reprenant les plus «grands» textes de notre culture occidentale, en les détournant systématiquement sur le mode ironique vers d'autres objets pour leur donner une autre signification, Amélie Nothomb, parmi tant d'autres romancières, se fait entendre en contrechant[36] dans le canon des textes (con)sacrés.

S'il est vrai que les prémisses des théories et pratiques féministes et postmodernes se rejoignent dans deux positions fondamentales, la critique des «grands récits de légitimation» (de Dieu, de la Raison, de l'Homme, etc.) et des idéaux qui datent des Lumières, d'une part, et la remise en cause des systèmes de la représentation et des oppositions binaires, d'autre part, la réécriture au féminin ajoute à cette critique un «supplément» non négligeable. Auteures de textes subsidiaires, à travers leur pratique palimpseste, elles visent à «combler la brèche entre

34. Voir à ce propos Michel Picard, *La lecture comme jeu : essai sur la littérature*, Paris, Minuit, 1986.

35. C'est l'hypothèse de base qu'approfondit Ruth Klüger dans son essai *Frauen lesen anders* (Munich, Deutscher Taschenbuch Verlag, 1996), en proposant à travers son regard de femme une relecture de textes d'éminents auteurs germanophones (Grimmelshausen, Goethe, Kleist, Schnitzler, Kästner, Hackl) avant de proposer des balises pour une vision «alternative» de l'histoire de la littérature.

36. Dans ses réflexions théoriques et pratiques sur la littérature québécoise depuis les années 1960, Lori Saint-Martin a choisi d'adopter le terme «contre-voix» pour mieux circonscrire les paramètres non seulement de l'écriture mais aussi de la critique au féminin (*Contre-voix. Essais de critique au féminin*, Québec, Nuit blanche éditeur, 1997) ; à propos de la thématique du discours féminin et du mode ironique à l'époque postmoderne, voir les chapitres VII et VIII consacrés à Louky Bersianik, Nicole Brossard et Daphne Marlatt.

théorie et pratique» afin de générer une «multitude de petits récits hétérogènes, dont aucun ne prétend à l'autorité des grands récits occidentaux[37]». Nous avons constaté que, chez Nothomb, le récit de la jeune fille suppléait le prototype du grand mémoire diplomatique. Aussi l'auteure substituait-t-elle le regard subjectif de la narratrice à l'objectivité de la parole du consul de Belgique au Japon.

L'expérience de l'entre-genre — la navigation entre «grand» et «petit» récit — serait-elle l'une des particularités de la pratique palimpseste du réécrire au féminin? S'il peut y avoir conjoncture entre les théories et pratiques postmodernes et la réécriture au féminin des grands récits et mythes, ce mariage s'avère des plus heureux lorsqu'il accueille, au sein de ce couple androgyne, le regard et la voix de l'Autre. Dès lors peut s'opérer un changement de perspective qui, à son tour, déclenche un processus d'ouverture vers d'autres lectures. Se met alors en œuvre la fil(l)iation à travers l'acte de réécrire. La réécriture telle qu'observée chez Amélie Nothomb, si elle ne s'embarrasse pas de méta-discours, incite à la méta-lecture. Lectrice avertie elle-même, cette écrivaine insère le plus souvent ses réminiscences à d'autres textes sur le mode ironique et auto-parodique. Ses romans témoignent, somme toute, d'un travail de réappropriation de son passé culturel et des textes modèles au profit des œuvres elles-mêmes.

La double démarche de déconstruction des modèles générateurs et de leur reconstruction sous d'autres signes sous-tend l'élaboration d'une poétique de (ré)écrire au féminin. Désacraliser des mythes et des récits, restituer en même temps la polysémie de la pensée mythique remplacée au fil du temps par la logique de l'exclusion, faire preuve d'iconoclasme en regard des images stéréotypes qu'elles soient «féminines» ou «masculines», tels sont les enjeux du réécrire au féminin dans le roman et le récit du xxᵉ siècle, plus précisément de sa seconde moitié. Bases essentielles de toute réécriture, la lecture critique des textes antérieurs — qui, dans le cas des auteures, se résume souvent aux mythes fondateurs de notre civilisation occidentale — et la remise en cause de ces hypotextes jouent un rôle important dans la *Kulturkritik* tant féminine que masculine. Mais par-delà ce rôle premier, il existe

---

37. Barbara Havercroft, *loc. cit.*, p. 53. L'auteure souligne dans son article que la contribution des femmes au débat sur la postmodernité et le féminisme constitue un «corps» autre d'écrits et d'œuvres artistiques, une sorte de «supplément» aux théories et pratiques postmodernes qui portent jusqu'aux années 1990 presque exclusivement une signature masculine (p. 51-52). Si j'adhère à ces postulats généraux, j'ai plus de réserves quant à la capacité des visions et visées féministes à apporter la charge politique qui manquerait au postmodernisme.

une seconde fonction ayant encore plus profondément partie liée avec l'écriture des femmes : l'approche mythocritique, comme le souligne à juste titre Françoise Rétif, s'est sans conteste avérée la voie royale de la critique littéraire féminine / féministe depuis Beauvoir et Cixous[38]. Chez toutes celles qui adoptent la réécriture comme stratégie discursive, la lecture va de pair avec l'écriture, la « critique de civilisation » avec le rééquilibrage de la réalité, et le regard dominant avec le détournement de l'attention vers des destins plus marginaux qui ne sont pas exclusivement féminins.

38. Voir Françoise Rétif, *loc. cit.*, p. 191.

Exercices de lecture

La voix du paradis.
La québécitude de Jack Kerouac

CAROLE ALLAMAND

1. La couleur de Dieu

« Si les littéraires avaient été plus futés, ils auraient tout de suite compris, et classé certains romans de Jack parmi les "œuvres québécoises en traduction[1]". » Ainsi s'emportait, en 1972, Robert-Guy Scully, le responsable de la rubrique littéraire du journal montréalais *Le Devoir*. Son article, « Kérouac Québécois », inaugurait un cahier consacré à l'écrivain que le monde, jusqu'ici, avait cru américain. « Cruel malentendu », insiste Scully.

Il suffit de comparer Jack — comme il l'appelle familièrement — avec ses compères de la Beat Generation pour voir que contrairement à ces derniers, [Jack] est sain, vertueux et modéré, comme la plupart des Québécois. [...] Les excès pornographiques ou scatologiques du *Festin Nu* ne lui disent rien et l'écœurent un peu.

« Faut-il ajouter, triomphe notre journaliste, qu'il était malade à chaque fois qu'il essayait de consommer des drogues ? » L'essayiste-romancier Victor-Lévy Beaulieu est plus nuancé, mais non moins convaincu. « Jack est le meilleur romancier canadien-français de l'Impuissance », déclare-t-il au terme de sa biographie de Kerouac, parue la même année, « et voilà pourquoi il est important que nous annexions son œuvre[2] ». Le mot d'ordre étant donné, on créa une revue, *N'importe*

---

1. Robert-Guy Scully, « Kérouac [*sic*] Québécois », *Le Devoir*, 28 octobre 1972, p. XXXI.
2. Victor-Lévy Beaulieu, *Jack Kérouac*, Montréal, Stanké, coll. « 10/10 », 1987, p. 231. Dorénavant désigné à l'aide du sigle (*VLB*), suivi du numéro de la page.

quelle route, consacrée à la québécitude de Kerouac, à laquelle vinrent s'ajouter des colloques, des numéros spéciaux de revue, et deux anthologies d'articles. C'est ce curieux mouvement de récupération que je me propose d'étudier ici. Il s'agira de formuler, d'un côté, l'idéal identitaire auquel correspond une reconnaissance qui est naturellement une projection, et, de l'autre, de mesurer cette prétendue québécitude à l'aune des romans de Kerouac, en particulier celui qu'il tenait pour sa plus belle réussite : *Visions de Gérard* (*Visions of Gerard*, 1958[3]). À la lumière de ce texte séminal, je me risquerai dans un deuxième temps à rebrousser jusqu'à son origine inédite le chemin bien battu de son roman-culte, *Sur la route* (*On the Road*, 1957[4]).

Au premier abord, cette appropriation semble risible. Pour le reste du monde, en effet, l'auteur de *Sur la route* n'est pas seulement américain, il *est* l'Amérique, traversée en jeans sur la plate-forme d'un *pick-up truck*. Et pourtant le rapport de cet écrivain au Québec est réel. Jean-Baptiste Louis Lebris de Kerouac vint au monde en 1922 à Lowell, Mass., dans le « Petit Canada », un quartier d'une région elle-même surnommée le « Québec d'en bas ». Ce nom, la Nouvelle-Angleterre du milieu du xixe siècle le dut à l'immigration massive de Canadiens francophones auxquels l'agriculture, où la majorité anglaise les avait acculés, n'offrait plus de subsistance certaine. Aussi Ti-Jean est-il de langue maternelle française, ce qu'il se plaît à rappeler à son lecteur en saupoudrant de joual ses récits autobiographiques, tout autant qu'en revendiquant explicitement ses racines linguistiques. « Tout mon savoir réside dans ma *Canadienneté française* et nulle part ailleurs », explique-t-il à une journaliste.

> La langue anglaise est un instrument trouvé plus tard [...] si tard (je ne parlais pas l'anglais avant l'âge de 6 ou 7 ans) qu'à 21 ans, mon expression parlée et écrite semblait quelque peu gauche et illettrée. La raison pour laquelle je manie si facilement les mots de l'anglais est qu'il ne s'agit pas de ma langue. Je les remodèle de manière à ce qu'ils correspondent à des *images françaises*[5].

3. Jack Kerouac, *Visions of Gerard*, New York, Penguin Books, 1991 ; *Visions de Gérard*, trad. J. Autret, Paris, Gallimard, 1972. Dorénavant désignés respectivement à l'aide des sigles (*V*) et (*VG*), suivis du numéro de la page.

4. Jack Kerouac, *On the Road*, New York, Penguin Books, 1991 ; *Sur la route*, trad. J. Houbart, Paris, Gallimard, coll. « Folio », 1972. Dorénavant désignés respectivement à l'aide des sigles (*OTR*) et (*SLR*), suivis du numéro de la page.

5. « *All my knowledge rests in my French-Canadianness and nowhere else. The English language is a tool lately found [...] so late (I never spoke English before I was 6 or 7), at 21, I was*

Et c'est bien ici que la fascination en question trouve son origine. Pour Victor-Lévy Beaulieu, par exemple, le coup de foudre ne fut pas une affaire de communauté de pensée, d'expérience ou de sentiments, mais d'abord une communauté de langue :

> Un midi avant de m'en aller manger, je pris le premier livre sur une pile près de la porte — c'était *Satori in Paris* et la phrase que je lus, en feuilletant le livre au restaurant, ce fut : « Ciboire, j'pas capable trouvez ça ! » Dès cet instant, Jack ne me laissa plus. (*VLB*, 86)

Qu'un francophone se reconnaisse dans un texte en français, cela est assez banal, et voici exactement ce qu'allaient déclarer les adversaires de la *québécitude* de Kerouac dans la querelle assez chaude qui s'ensuivit. Aux sources de ce « mythe », ainsi que le dénonce Jean-François Chassay, il y aurait donc la « mégalomanie » du biographe québécois de Kerouac, pour qui la reconnaissance intime de Jack semble surtout une reconnaissance de soi[6]... « Je ne sais pas, finalement, si je parle de Jack ou de moi-même[7] » (*VLB*, 56). Toute distance critique semble en effet s'effondrer au profit d'une identification massive qui fait de Kerouac « un gars de Saint-Hubert et de Saint-Pacôme[8] ». Au milieu de ces réjouissances nationalistes, des voix s'élèvent, qui conseillent de ne pas trop négliger le fait que cet « enfant du pays » a écrit son œuvre en anglais. On rappelle également cet embarrassant entretien de 1967 sur les ondes de Radio-Canada, où Kerouac — certes en état d'ébriété avancé — ne comprend pas toujours ce que lui dit le journaliste, et répond dans un franglais boiteux qui déclenche l'hilarité sur le plateau[9].

Entre les partisans et les sceptiques, une troisième voie s'ouvrait cependant, qui a consisté à étudier les occurrences du français dans cette œuvre. Le premier constat concerne la rareté de ces phrases françaises. Celles-ci se limitent, ce n'est pas étonnant, aux textes du groupe qu'on a appelé « the Lowell novels » (*Doctor Sax*, *Maggie Cassidy*, *Visions*

---

still somewhat awkward and illiterate sounding in my speech and writing. The reason I handle English words so easily is because it is not my own language. I refashion it to fit French images. » Lettre à Yvonne Le Maître (8 sept. 1950), reproduite dans *Selected Letters 1940-1956*, éd. Ann Charters, New York, Viking 1995, p. 227-229. (Ma traduction.) Dorénavant désigné à l'aide du sigle (*SL*), suivi du numéro de la page.

6. Jean-François Chassay, *L'ambiguïté américaine. Le roman québécois face aux États-Unis*, Montréal, XYZ, 1995, p. 68.

7. Notons que la photo-montage de couverture de cette « biographie » présente Beaulieu comme passager d'une voiture conduite par Kerouac...

8. Claire Quintal, « Mémère Kérouac, ou la revanche du berceau en Franco-Américanie », *Voix et Images*, n° 39, 1988, p. 397.

9. Voir la retranscription de cette émission, « Le sel de la semaine », dans *Le Devoir*, *op. cit.*, p. XXXIII.

of Gerard), par opposition aux «Road novels» (*On the Road, The Dharma Bums, Big Sur, The Lonesome Traveler,* etc.) qui constituent la seconde partie d'une saga indéniablement autobiographique. Mises bout à bout, les phrases françaises de *Visions de Gérard* couvrent en tout et pour tout trois des cent trente pages du récit. Cette indéniable minorité se trouve en outre renforcée par trois éléments : (1) l'usage systématique de l'italique, qui singularise le français dans le texte ; (2) la nature phonétique de ces occurrences, qui accentue le caractère dialectal, et donc encore minoritaire du français ; (3) enfin, et surtout, le fait que toutes ces occurrences soient immédiatement suivies d'une traduction. Cette diglossie, comme l'a remarqué Pierre Anctil, en l'opposant au bilinguisme de Tolstoï ou de Saul Bellow, est «inopérante et formelle[10]». Pour ce lecteur, «il n'y a pas d'autonomie de la langue française par rapport à l'univers anglo-américain[11]».

Voilà un problème que les Québécois connaissent bien, et plus que jamais en ces années de Révolution tranquille, au cœur de l'époque dite des «lois linguistiques» (années 1960-1970) où, décret après décret, le français va reconquérir l'autonomie dont il a été spolié, plus ou moins, depuis que la Nouvelle-France est devenue une colonie anglaise. À l'origine de cette fascination pour le texte de Kerouac, il y aurait donc un certain rapport du français à l'anglais, lequel renverse, littéralement, cette subordination.

Kerouac se comparait volontiers à Joseph Conrad, s'estimant heureux d'avoir pu écouter les mots de l'anglais avant d'en comprendre le sens et d'avoir développé de la sorte un rapport véritablement poétique à cette langue[12]. Dans la lettre que j'ai citée plus haut, il explique devoir son éloquence au fait que l'anglais ne soit pas sa langue maternelle. «La raison pour laquelle je manie si facilement les mots de l'anglais est qu'il ne s'agit pas de ma langue. Je les remodèle de manière à ce qu'ils correspondent à des *images françaises.*» L'aisance de ce rapport, tel qu'il se décrit ici, tiendrait cependant à un autre fait, et plus exactement à ce fond de français que Kerouac ne ferait que traduire. Dans cette poétique imaginaire, le français fait office de langue primordiale, silencieuse à la limite, d'un sens pur dont l'anglais ne serait que la transcription. Cela

---

10. Pierre Anctil, «*Paradise Lost,* ou le texte de langue française dans l'œuvre de Jack Kerouac», dans Pierre Anctil (dir.), *Un homme grand,* Ottawa, Carleton University Press, 1990, p. 97.

11. *Ibid.,* p. 98.

12. Gerald Nicosia, *Memory Babe. A Critical Biography of Jack Kerouac,* New York, Grove Press, 1983, p. 147.

problématise pour le moins le caractère jugé minoritaire du français dans ces livres, et nous invite à envisager le rapport du français et de l'anglais sous un angle radicalement différent : et si l'anglais n'était que la surface visible, la pointe d'un iceberg ontologiquement francophone ? Et si ces petites phrases jouales, pour changer de métaphore, n'étaient pas des fausses notes, mais au contraire le *thème* autour duquel le texte se compose ? On ne pourrait rêver, en tout cas, de meilleure subversion de la suprématie linguistique anglo-saxonne, et c'est peut-être pourquoi Kerouac parle si fort à de nombreux lecteurs québécois de ces années-là. Or, cette polarisation du français et de l'anglais, comme langue originelle, ou Parole, opposée à une Écriture, est précisément thématisée par le roman autobiographique de Kerouac, *Visions de Gérard*.

Publié un an après *Sur la route*, en 1958, *Visions de Gérard* a pour cadre les derniers mois de la courte vie de Gérard Duluoz, en réalité Gérard Kerouac, le frère aîné de Jack décédé alors que ce dernier avait quatre ans. Ces « visions », ce sont les images d'un frère que sa famille et le quartier tenaient pour un martyr, les illustrations d'un récit calqué sur le genre de la « Vie des saints » : Gérard ramenant dans la cuisine familiale un enfant affamé du quartier, ressuscitant une souris prise au piège, guidant son petit frère sur la voie du bien, et professant à l'occasion de profondes vérités sur l'existence humaine. Affaibli dès le plus jeune âge par une maladie de cœur, alité pendant des mois, Gérard ne se développe qu'en esprit. La certitude de la fin prochaine alliée au catholicisme très fervent du Petit Canada dotent ce garçon d'une pénétration rare. Car Gérard est visionnaire — c'est évidemment l'autre sens du titre. « — Quelle est la couleur de Dieu ? », lui demande Ti-Jean, et Gérard de répondre : « *Blanc d'or rouge noir pi toute*[13]. » Les talents prophétiques du garçon, joints à sa souffrance, confèrent progressivement à son calvaire une dimension christique. L'hagiographie devient Évangile.

> Mon propre frère, une marque de sainteté dans les univers globulaires infinis et le Chillicosme — Sous sa petite chemise, son cœur aussi gros que le cœur sacré d'épines et de sang dépeint dans tous les modestes foyers du Lowell canadien-français. (*VG*, 7)

Au début de la route mystique de Jack se profile l'ombre de Gérard. « J'étais destiné, réellement destiné à rencontrer, à apprendre et à comprendre Gérard et Savas et Bouddha le seigneur béni (et puis mon Doux Christ) » (*VG*, 6).

---

13. Les traductions de ce texte sont mon fait. Les références à la traduction française parue chez Gallimard sont faites à titre indicatif afin de faciliter le repérage.

Mais revenons au premier paragraphe de ce récit.

> Gérard Duluoz est né en 1917, petit garçon maladif avec un rhumatisme cardiaque et bien d'autres complications qui l'ont rendu souffrant durant la plus grande partie de sa vie, laquelle s'acheva en juillet 1926, alors qu'il avait 9 ans, et les nonnes de l'École paroissiale de Saint-Louis de France étaient à son chevet pour recueillir ses dernières paroles, car elles avaient entendu ses étonnantes révélations du paradis prononcées au catéchisme… — Saint Gérard, son visage pur et tranquille, son air lugubre, le pitoyable petit voile de cheveux tombant sur son front et repoussé d'une main de ses graves yeux bleus. (VG, 1)

L'importance de cette scène est indiquée par sa répétition, à l'autre bout du livre, dont elle constitue en quelque sorte le cadre. «[Les nonnes] lui posent des questions, auxquelles il répond brièvement et doucement, ma mère voit les nonnes recueillir ses mots sur une feuille — Elle ne revit plus jamais cette feuille» (VG, 108). Cette vision des sœurs prenant en dictée la Parole de Gérard représente évidemment une mise en abyme des conditions du récit lui-même, la tâche de recueillir les révélations fraternelles revenant désormais à Jack. Ce papier que personne n'allait revoir, ne le cherchons pas plus loin : c'est le livre que nous tenons entre nos mains. Mais pas seulement lui puisqu'en fait c'est sa vocation, «ma fichue carrière littéraire», et tous ses autres livres que le narrateur place sous la divination de Gérard. «La seule raison pour laquelle j'aie jamais écrit et respiré pour croquer en vain, d'une plume d'encre, est Gérard l'idéaliste, Gérard le héros religieux» — écrire en l'honneur de sa mort «comme on dirait "Écrire par amour de Dieu"» (VG, 112). «Sans Gérard», se demandait le narrateur au début du livre, «que serait-il arrivé à Ti-Jean?» (VG, 5) Il ne serait sans doute pas devenu Jack Kerouac…

Or l'intérêt, pour nous, de la Parole de Gérard n'est pas tant les mystères qu'elle révèle, sur lesquels le récit demeure du reste totalement tacite, mais le fait qu'elle soit, précisément, du français. Il est tentant d'avancer que ces «images françaises», auxquelles la prose kerouackienne obéit, sont toujours déjà les visions de Gérard! Car ce garçon, qui n'a pas eu le temps d'être scolarisé en anglais, demeurera francophone. «Comment tu te sens?», lui demande le médecin. «Gérard, qui n'est pas habitué à ce qu'on lui parle anglais répond, Ça va, Docteur Simpkins, avec l'accent sur le "kins," comme le dirait ma mère» (VG, 108).

Dans l'esprit de son frère de quatre ans, la conclusion était inévitable : si Dieu parle à Gérard, c'est donc que Dieu parle français! Une longue confession envoyée à Neal Cassady en 1950 vient confirmer ce piquant syllogisme. À bien des égards, cette lettre où Kerouac relate en détail la mort de son frère représente le proto-texte de *Visions de Gérard*. Des différences révélatrices existent cependant entre les deux versions. En voici une. Se demandant ce qu'il adviendrait de son frère, décédé le matin même, le narrateur-personnage du roman en arrive à imaginer que «quelque sainte transformation [...] le rendrait plus grand et plus "gérardesque"» (*VG*, 109). Mais cette réponse pondérée, sinon vague, contraste radicalement avec la réaction que Jack aurait véritablement eue, et qu'il relate à Neal :

> Nous allions tous partir pour le Canada avec Gérard et nous retrouver au cœur des choses telles que je les connaissais ; car j'avais toujours entendu : «Les choses ne sont plus comme elles étaient dans le bon vieux Canada, si seulement j'étais au Canada, retournons tous au Canada.» Le Canada était dans l'air et me hantait. Le Canada était pour moi le sein de Dieu. Si Gérard mourait cela voulait seulement dire qu'il était allé au Canada (*SL*, 259-260 ; je traduis).

Le Paradis de Gérard, c'était donc cela...

Avant lui, d'autres Québécois étaient arrivés à cette conclusion. Privés de pouvoir par leurs compatriotes anglophones et protestants, laissés en marge du progrès, les Canadiens français se replient politiquement dans une attitude de soumission favorisée par le clergé et fondée sur l'équation catholique du malheur et de la vertu[14]. L'idée d'une destinée spirituelle grandiose réservée aux francophones, en récompense de leurs souffrances terrestres, anime les discours des élites nationalistes du milieu du xixᵉ siècle à la Première Guerre mondiale, et transforme bientôt un projet politique en une vision messianique. L'extrême isolement social, culturel et économique des héritiers de Champlain est alors vécu comme une élection sacrée. Aux anglophones l'économie, l'industrialisation, les villes, bref, le contrôle de la vie terrestre — aux francophones l'au-delà. En 1902, Mᵍʳ Paquet déclare :

> Notre mission est moins de manier des capitaux que de remuer des idées ; elle consiste moins à allumer le feu des usines qu'à entretenir et à faire rayonner au loin le foyer lumineux de la religion et de la pensée. Pendant que vos rivaux revendiquent [...] l'hégémonie de l'industrie et de la finance, nous ambitionnons avant tout l'honneur de la doctrine et les palmes de l'apostolat[15].

---

14. Voir les Béatitudes, *Mt* 5, 1-12.

15. Guy Bouthillier et Jean Meynaud (dir.), *Le choc des langues au Québec — 1760-1970*, Montréal, Presses universitaires du Québec, 1972, p. 26. À ce propos, nous devons beaucoup à la recherche de Chantal Bouchard (*La langue et le nombril. Histoire d'une obsession québécoise*, Montréal, Fides, coll. «Nouvelles études québécoises», 1998).

Du même coup, un mépris proclamé du séculaire peut venir consoler les Québécois de leur terrible exclusion, comme l'indique cette diatribe de l'abbé Casgrain :

> Quelle action la Providence nous réserve-t-elle en Amérique ? Quel rôle nous appelle-t-elle à y exercer ? Représentants de la race latine, en face de l'élément anglo-saxon, dont l'expansion excessive, l'influence anormale doivent être balancées, de même qu'en Europe, pour le progrès de la civilisation, notre mission et celle des sociétés de même origine, éparses sur ce continent, est d'y mettre un contre-poids en réunissant nos forces, d'opposer au positivisme anglo-américain, à ses instincts matérialistes, à son égoïsme grossier, les tendances d'un ordre plus élevé qui sont l'apanage des races latines : une supériorité incontestée dans l'ordre moral et intellectuel, dans le domaine de la pensée[16].

Fait notoire : le passage du livre *Satori à Paris* qui avait envoûté le biographe Beaulieu et déclenché en grande partie cet engouement québécois pour Kerouac traitait justement de cette distinction entre le séculaire et le divin, entre le matérialisme et l'idéalisme, entre la classe dirigeante et Jésus. Or, on le comprend, cette distinction ne pouvait se dire qu'en français, ou plutôt en joual : « Jésu a été crucifiez parce que, a place d'amenez l'argent et le pouvoir, il a amenez seulement l'assurance que l'existence a été formez par le bon Dieu… » (*Satori à Paris*, cité dans *VLB*, 86).

La spécificité du messianisme québécois, en effet, tient au rôle crucial joué par le français dans son articulation. Le salut des Québécois repose sur le strict maintien non seulement de la foi catholique, mais aussi de la langue française. L'Église a très vite compris que le meilleur obstacle que l'on puisse imposer aux idées protestantes était encore leur incompréhension pure et simple, c'est-à-dire la différence linguistique. L'enthousiasme de ces années, toutefois, fit bientôt de cette nécessité politique une différence ontologique. Derrière le slogan de ralliement « la langue, gardienne de la foi », se dessine la croyance en un rapport « naturel » du français à la chrétienté. Henri Bourassa, fondateur du *Devoir* et défenseur passionné du français, invoque pour le prouver l'histoire de cette langue.

> La langue française, la vraie langue française, est la fille aînée de la langue latine christianisée, tout comme la race française, plus encore que la nation française, est la fille aînée de l'Église, pas l'aînée par rang d'âge — les

---

16. Abbé Casgrain, « Le mouvement littéraire au Canada », cité par André Sénécal, « La thèse messianique et les Franco-Américains », *Revue d'histoire de l'Amérique française*, vol. XXXIV, n° 4, 1981, p. 557.

dialectes italiens et espagnols l'ont précédée dans la vie des langues modernes issues du latin — mais par ordre de préséance morale et intellectuelle. Née avec la France chrétienne, grandie et perfectionnée sous l'aile maternelle de l'Église, elle s'est plus pénétrée de catholicisme, de catholicisme pensé, raisonné, convaincu et convaincant, que ses sœurs latines, que tous les autres dialectes de l'Europe[17].

Même chez un partisan de la thèse théologico-linguistique que l'on dit modéré — pour Bourassa, il s'agit avant tout d'empêcher l'éradication du français, et non de « coloniser » la Nouvelle-Angleterre (!) —, l'affectif supplante l'objectif, et la démonstration de la supériorité du français disparaît au profit de l'éloge aveugle de la langue « la plus parfaite des temps modernes ». Autrement dit, la langue du Messie. « Verbe de France, et messagère du Christ », s'émeut un autre apologiste du français, « c'est toi qui, la première de toutes les langues européennes, as fait vibrer les échos de nos vallées et de nos fleuves, de nos forêts et de nos lacs immenses[18]... » « Messagère du Christ » : on comprend aisément qu'un esprit moins cultivé prenne ces mots à la lettre, et en particulier « le cerveau confus d'un garçon de quatre ans » (*"the dizzy brain of a four-year-old, with its visions and infold mysticisms"* ; [V, 109-110]). Les « palmes de l'apostolat » reviennent donc aux francophones, car eux seuls saisissent véritablement l'enseignement de Jésus et de son Père. Ils en voient la couleur, littéralement, tout comme Gérard, le seul enfant de Lowell à avoir échappé au moule anglophone.

Qu'on la tienne ou non pour fondée, l'appartenance de Kerouac à la culture et à l'histoire québécoises demeure un postulat intéressant, l'ombre projetée d'un ensemble d'espoirs et de désirs autour desquels la communauté du Québec est en train de se construire : désirs de renverser la hiérarchie linguistique qui caractérise la politique canadienne et sans doute, plus intimement, de faire du français, source d'aliénation économique, un lieu de rédemption mystique. La *québécitude* de Kerouac n'est peut-être pas un fait, c'est une vision.

2. « Beat » ou Béat ?

La vocation de Kerouac, elle, reprend à sa manière « les palmes de l'apostolat ». Devenir écrivain, on l'a vu, c'est se faire l'apôtre de Gérard, le porteur de sa Parole, et cette structure de témoignage sera à son tour le sceau de la production romanesque de cet auteur. « C'est un

17. Henri Bourassa, cité par Guy Bouthillier et Jean Meynaud (dir.), *op. cit.*, p. 412.
18. Sir Thomas Chapais, cité par Guy Bouthillier et Jean Meynaud (dir.), *op. cit.*, p. 338.

vaste film éthéré, je suis un figurant, Gérard est le héros, et Dieu le dirige du Paradis » (*VG*, 127). Sur la route, en effet, ce dernier n'occupe jamais que la place du passager, laissant le volant à Neal Cassady et à ses avatars (au sens étymologique du terme) : Dean Moriarty dans *On the Road*, et Cody Pomeray dans *The Dharma Bums*, et, surtout, *Visions of Cody*.

> Je traînais derrière eux comme je l'ai fait toute ma vie derrière les gens qui m'intéressent, parce que les seules gens qui existent pour moi sont les déments, ceux qui ont la démence de vivre, la démence de discourir, la démence d'être sauvés, qui veulent jouir de tout dans un seul instant... (*SLR*, 21)

Si l'importance de la *fraternité* dans cette œuvre, au sens collégien du terme, n'est pas à démontrer, on s'est contenté jusqu'à très récemment de l'expliquer comme une émancipation, joyeuse et irresponsable, à l'endroit des liens sociaux empreints de devoir, tels le mariage ou la paternité. Les lignes qui suivent se proposent au contraire de prendre cette fraternité à la lettre, et de définir la route poétique de Kerouac sous l'angle de la perte de Gérard, qui en fut sûrement la première étape[19].

Si la route de Dean Moriarty l'emmène toujours loin d'une épouse ou d'un enfant — serait-ce à l'occasion sur les traces d'un père qui, significativement, n'est jamais retrouvé —, celle du narrateur de *Sur la route*, Sal Paradise, commence au contraire par un divorce et une dépression, autrement dit une double perte : celle d'une épouse, et celle du goût de la vie — « tout était foutu » (*"everything was dead"*) — que la narration imite à son tour en ne nommant ni l'un ni l'autre (« une maladie grave dont je n'ai rien à dire » ; [*SLR*, 15]). « Une blessure secrète, souvent inconnue de lui-même, propulse l'étranger dans l'errance[20] », remarque Kristeva dans un essai qui tire sa force d'une intuition élémentaire : les causes de l'exil ne sont pas forcément *positives*, c'est-à-dire existantes. C'est un manque que fuiraient l'exilé, le vagabond, le nomade, et plus précisément un manque d'amour : une « mère distraite ou préoccupée », ajoute Kristeva, et quelle préoccupation plus grande en effet pour une mère qu'un fils mourant ? Quelle distraction plus totale que la conviction d'avoir enfanté un saint, voire un prophète ? Le

---

19. Les travaux récents d'Ellis Amburn (*Subterranean Kerouac : The Hidden Life of Jack Kerouac*, New York, St. Martin's Press, 1998) et de James T. Jones (*Jack Kerouac's Duluoz' Legend*, Carbondale, South Illinois University Press, 1999) rendent également à Gérard Kerouac l'importance dont il a été privé dans l'interprétation de l'œuvre de son frère.

20. Julia Kristeva, *Étrangers à nous-mêmes*, Paris, Gallimard, coll. « Folio essais », 1986, p. 13.

récit de *Visions de Gérard* n'est pas exempt, du reste, de scènes de jalousie. «Ils font toujours tellement d'histoires à son sujet», boude le cadet, auquel on n'a pas servi de petit-déjeuner. «Parce qu'il est malade on le sert toujours avant moi. [...] Et il n'y a pas de doute dans mon cœur que ma mère aime Gérard plus que moi» (*VG*, 72).

Tout vagabond, en vérité, «tourne le dos à la destination de son voyage[21]», et c'est pour cela que l'errance doit être comprise à partir de son point de départ. Le *sens* du voyage de Sal, autrement dit, n'est pas à rechercher au Sud-Ouest, au Mexique, mais au Nord-Est du continent, à Lowell, Mass. Le coup de foudre de Sal pour Dean, l'initiateur du périple, nous ramène en effet tout droit à Gérard, et à sa perte.

Ce n'est pas seulement parce que j'étais un écrivain et que j'avais besoin de nouvelles expériences que je voulais mieux connaître Dean [...] mais parce que, dans une certaine mesure, en dépit de nos différences de caractère, il me faisait penser à un frère que j'aurais perdu depuis longtemps. (*SLR*, 23-24)

Dean, comme son nom l'indique, c'est le «doyen»: l'aîné. (Et l'on pourrait tout aussi bien gloser sur la funeste substitution de «Moriarty» à «Cassady»). Cela dit, l'élément qui à mon sens valide le plus ce rapprochement est l'objet même de la fascination exercée par Dean sur le narrateur du roman: sa parole, la faconde endiablée dont ce personnage emplit l'habitacle des voitures et, bientôt, l'esprit de ses passagers: une logorrhée d'analysant, de prophète, de dingue. «Les seules gens qui existent pour moi sont [...] [celles] qui ont la démence de discourir, la démence d'être sauvé[e]s» (*SLR*, 21). Nous revoici au chevet de Gérard, aux côtés des nonnes consignant ses dernières paroles, ses visions du paradis. La parole de Dean, d'ailleurs, n'est pas seulement recueillie par Sal: «[Carlo Marx] couvait dans sa cave un journal énorme sur lequel il tenait le registre de ce qui se passait quotidiennement, de toutes les paroles et de tous les actes de Dean» (*SLR*, 76). Or, la puissance verbale de ce personnage tient probablement au fait que, tout comme Gérard, Dean n'a pas vraiment été scolarisé, c'est-à-dire que son univers est resté fondamentalement oral. Son rapport à Sal en témoigne: c'est pour qu'il lui apprenne à écrire que Dean contacte le narrateur pour la première fois! «D'emblée, Cassady supplia Kerouac et Ginsberg de lui apprendre à "écrire", explique Tim Hunt. Cela laisse supposer qu'il sentait à quel point son énergie, son talent oral et son

---

21. Frank Lestringant, «Récit de quête/récit d'exil», *Revue des sciences humaines*, n° 214, 1989, p. 40.

rapport pratique à la langue différaient du rapport à la langue, fondé sur l'écrit, que Ginsberg et Kerouac avaient développé[22]. » C'est à cette oralité que Kerouac rend encore hommage en intitulant « La légende de Duluoz » l'ensemble de ses livres liés à Lowell.

Dean parle et parle, mais que dit-il ? Rien, au sens référentiel du terme. Dean ne raconte rien, et presque tout ce que nous savons de son enfance à Denver est relaté par le narrateur. De même, des joutes verbales menées jusqu'à l'aube avec Carlo Marx, le lecteur ne recueille que la mention. Ironiquement, le narrateur s'était endormi (*SLR*, 78-79) ! Quelle bonne image, d'ailleurs, du pouvoir hypnotisant de la parole de Dean ! Lorsqu'elle apparaît dans le récit, celle-ci remplit une fonction purement expressive ou conative. Onomatopées (*Zoom*, *Woosh*), interjections (*Gee*, *Wow*, *Man*, *Phew*, *Whoo*), mimologies (*Sa-a-al*, *Hel-lo*), répétitions (*I love, love, love women*) et marques phatiques (*Y'ear me ?*) scandent ce discours tout entier dévoué au présent de ce qu'il constate, impose (« Maintenant on doit tous sortir et savourer le fleuve et les gens et flairer le monde ») ou, plus simplement, énonce : « Eh bien, bon, ah, ah, oui, naturellement tu es arrivé vieil enfant de putain, va, tu te l'es envoyée, cette vieille route. Eh bien, bon, voyons un peu — nous devons — oui, oui, immédiatement ! — nous devons, nous devons vraiment... » (*SLR*, 70).

À mesure que la route avance, Sal prend conscience de la confusion de la parole de son acolyte :

> Il n'y avait rien de clair dans ce que [Dean] disait, mais ce qu'il cherchait à exprimer était d'une façon ou d'une autre pur et limpide. Il faisait du mot « pur » un usage abondant. Je n'avais jamais imaginé que Dean pût devenir un mystique. C'était les premiers jours de son mysticisme qui devaient l'amener plus tard jusqu'à une étrange sainteté déguenillée, à la W. C. Fields. (*SLR*, 172)

Cependant, alors que les autres compagnons de voyage et de fortune se lasseront bientôt des élucubrations de Dean, Sal demeure le seul à les écouter et, qui plus est, à y croire. Entre la sainteté et l'insanité, on le sait, il n'y a guère qu'une différence de perspective : « Et je voyais jaillir de ses yeux une sorte de lueur sacrée sous l'effet de ses excitantes visions qu'il me décrivait d'une façon si torrentielle que dans les autobus les gens se retournaient pour voir le loufoque surexcité » (*SLR*, 20). Dans l'oreille de Sal, autrement dit, le charabia fait Sens, la parole de Dean se mue en Parole.

22. Tim Hunt, *Kerouac's Crooked Road*, Berkeley, University of California Press, 1996, p. xxii (ma traduction).

Ce fut le cas, on l'a dit, des visions de Gérard — auxquelles celles de Dean citées ci-dessus font du reste écho — s'imposant à l'esprit confus d'un garçon de quatre ans comme autant de Vérités. L'équation de l'incompréhensible et du vrai, ou du divin, est naturellement au cœur du mysticisme catholique. Première des Béatitudes («Heureux les pauvres en esprit, car le royaume des cieux est à eux», *Mt* 5, 3), elle est en quelque sorte le corollaire cognitif de l'équivalence du malheur et de l'élection («Heureux les affligés, car ils seront consolés», deuxième Béatitude, *ibid.*) où les Canadiens français ont puisé leur messianisme. Or la sainteté de Dean est puisée à la même source, et non, me semble-t-il, dans la mythographie américaine. «Je me rendis soudain compte que Dean, en vertu de la suite innombrable de ses péchés, était en passe de devenir l'Idiot, l'Imbécile, le Saint de la bande... Voilà ce que Dean était, le GLANDEUR MYSTIQUE» («*the HOLY GOOF*», [*SLR*, 275]).

De ce mysticisme, *Visions de Gérard* offre une synthèse remarquable : la messe du vendredi dans le «Québec d'en bas». Faute de comprendre tous les mots de leur prière, les garçons de Lowell s'égarent dans les mystérieuses «entrailles» de Marie...

> «Ainsi soit-il», amen, aucun d'entre eux ne comprenant pas non plus ce que cela voulait dire [...] [on] pensait qu'il s'agissait de quelque mot secret, sacerdotal et mystique invoqué à l'autel — L'innocence et cependant *l'intuition pure* dans laquelle le «Je vous salue Marie» était exécuté... (*VG*, 32-33)

Pureté, angélisme et sainteté, qui reviennent dans toutes les évocations de Gérard, et presque toutes celles de Dean, sont donc essentiellement une affaire de compréhension, et plus exactement de manque de compréhension. Elles désignent le moment exact où la croyance se substitue à la raison, le moment, autrement dit, de l'illumination. Le rapport du narrateur au personnage de Dean relève avant tout du *credo*. «Rappelle-toi que je crois en toi», insiste Sal, au moment où tous les autres perdent la foi, et finissent par renier celui qui fut leur guide dans une scène aisément qualifiable de crucifixion (*SLR*, 273-278). Volant au secours de son ami, Sal verbalise alors son rôle d'apôtre dans une tirade qui établit la relation privilégiée de Dean à Dieu et à la vérité qui en découle :

> Alors c'est parfait, mais pour l'instant il est en vie et je te parie que tu as envie de savoir ce qu'il va faire encore, et ceci parce qu'il détient le secret que nous crevons tous de connaître et qu'il en a le crâne béant, et s'il devient fou, ne t'en fais pas, ce ne sera pas ta faute, mais la faute de Dieu. (*SLR*, 277)

La dimension religieuse de *Sur la route* demeure un sujet controversé. La profusion des références bibliques et leur apparente incohérence — le Christ est-il donc Dean, ou le narrateur, Salvatore, qui en porte le nom ? — ont conduit nombre de critiques à se détourner de cette interprétation. En se concentrant exclusivement sur l'intertextualité proprement américaine de *Sur la route* (Melville, Twain), dont il espère démontrer la littérarité, Tim Hunt a choisi d'ignorer, au profit de références strictement littéraires, les évocations bibliques du texte, jugées futiles[23]. Ainsi « Salvatore Paradise » n'est-il pour ce lecteur qu'un signifiant voltairien, via Candide, et lorsque Sal recourt au langage religieux, explique-t-il, « cela révèle sa superficialité et son manque de maîtrise de soi [24] ». La « Terre Promise » de Denver, explique Hunt, ou la « source mystérieuse » du fleuve Hudson ne sont guère que des clichés, appelés à disparaître du récit plus contrôlé des voyages ultérieurs de Sal. De même, le choix de donner à son narrateur une origine italienne, et non franco-canadienne, tiendrait à la volonté de souligner l'attirance de Sal pour les valeurs du Vieux Monde — une femme, une famille, une vie sédentaire (*OTR*, 116) — et de mettre en évidence, par contraste, le déracinement foncièrement américain de Dean. Remarquons cependant le fait que cette référence engendre aussi un contraste confessionnel, entre le protestantisme anglo-saxon et le catholicisme romain, sur lequel la communauté franco-canadienne a longtemps projeté la majeure partie de son identité. L'idéal identitaire de Sal, on l'a vu, celui-ci le trouve auprès de ces bavards fous, « ceux qui ont la démence de vivre, la démence de discourir, la démence d'être sauvés » et, ajoute-t-il « brûlent, brûlent, brûlent, pareils aux fabuleux feux jaunes des chandelles romaines » (*SLR*, 21). Nous revoici à la confession du vendredi... et à l'enterrement de Gérard, où les cierges se font asphyxiants. « Les arcades massives de l'Église catholique brillaient à la lumière des chandelles et les gens toussaient, et je me tenais à l'arrière. À l'avant de la scène, de monotones voix latines égrenaient des *te-deum* » (*SL*, 260).

Du peu de lecteurs qui ont pris la dimension religieuse de *Sur la route* au sérieux, James Boyle me paraît le plus éloquent. « *Sur la route* », affirme-t-il catégoriquement, « dans la mesure où il s'agit d'une religion, ne peut être autre que l'exact opposé de ce que l'auteur et les

---

23. Je ne compte toutefois nullement diminuer la portée du travail de T. Hunt, qui s'efforce de tirer Kerouac à la fois du culte qui en fit un auteur plus souvent « biographié » que lu, mais aussi d'un mépris dont Truman Capote a donné la plus cinglante formule : « That's not writing, that's typewriting. »

24. Tim Hunt, *op. cit.*, p. 24.

critiques l'ont déclaré être — une affirmation joyeuse de l'existence humaine[25].» Ayant défini la religion comme un besoin d'infini greffé sur un sens aigu de la perte[26] — le pendant idéologique de l'errance, pour en revenir à la thèse de Kristeva —, Boyle défend la nature religieuse du roman au moyen d'un habile tour de lecture.

> Cette apparente contradiction entre l'interprétation de *Sur la route* comme affirmation ou comme religion n'est justement qu'apparente. En fait, c'est précisément cette *positivité* absolue qui prouve que le message de *Sur la route* est un message de déni — un déni à l'endroit de toute expérience véritable de la vie[27].

Le manque, la perte sont soigneusement expurgés d'un récit qui, on l'a vu, commence par les censurer.

« Le tout est de ne pas avoir de complexes » (*"The thing is not to get hung-up"*), répète Dean, dont la trajectoire représente avant tout une fuite du déplaisir. Pas une minute, par exemple, celui-ci n'hésitera à abandonner Sal et sa dysenterie dans un bouge de Mexico City... L'extase, le « IT », le monde meilleur, ne constituent donc que l'envers de ce décor sordide, et plus exactement un rideau tendu sur ce qui s'écoule, à savoir l'existence. Aussi la sainteté de Dean est-elle à prendre à la lettre de l'Évangile, comme un renoncement aux biens de ce monde. De ce renoncement, la route représente naturellement la figure centrale. L'apparente incohérence de Kerouac décrivant le périple de Sal tantôt comme l'Exode, et tantôt comme un pèlerinage — selon que la destination est dite « Terre Promise » ou « Terre Sainte[28] » —, ne fait que renforcer le caractère transitoire de l'expérience de ses personnages. Et c'est là, à mon sens, que la philosophie de *Sur la route* rejoint celle du Petit Canada. Catholique bien plus que « beat », « WASP » ou bouddhiste, elle projette son idéal sur une « destination » face à laquelle l'existence terrestre n'est, au mieux, rien, et, au pire, l'occasion de péchés qui retardent sans cesse la fin du voyage.

Le souci du narrateur à l'endroit du péché, du reste, contraste singulièrement avec la désinvolture de son compagnon, pour qui toutes

25. James Boyle, « "It! It!" — *On the Road* as Religion », *Recovering Literature*, n° 15, 1987, p. 20 (ma traduction).

26. « À la racine de toutes les natures religieuses se trouve un sens aigu de cette vérité, c'est-à-dire une sensibilité accrue du sens de la perte. De cette souffrance croît le besoin d'absolu, d'infini, de ce qui ne saurait périr, d'un *monde meilleur* », *idem*.

27. *Ibid.*, p. 21

28. « Maintenant je voyais Denver surgir dans le lointain comme la Terre Promise » (*SLR*, 33). « Mon pote, mon pote, gueulai-je à Dean, réveille-toi et regarde les bergers, réveille-toi et regarde le monde doré d'où Jésus est sorti, tu peux dire que tu le vois avec tes propres yeux » (*SLR*, 422).

les lois sont bonnes à enfreindre. Après une jeunesse de maison de correction, Dean ne se consacre plus guère qu'au vol de voiture et à l'adultère, mais il pratique les deux avec passion, «empruntant» quatre autos de suite un soir d'ennui, et concevant autant d'enfants des deux côtés du continent[29]. Sal est loin de posséder la même spontanéité, et sa sexualité reste empreinte de culpabilité d'un bout à l'autre de son voyage.

> Les garçons et les filles d'Amérique n'ont pas la vie heureuse ensemble ; une drôle de complication exige qu'on se soumette au sexe d'un seul coup sans les conversations préliminaires qui conviennent. Je ne parle pas de cour — de vraies conversations loyales d'âme à âme puisque la vie est sacrée et que chaque instant a son prix. (*SLR*, 88)

Désireux mais incapable de posséder la femme de Dean, Marylou, même après que celui-ci la lui eut offerte (!), il passe une nuit au lit avec elle à lui raconter des histoires de Serpent géant roulé en boule au centre de la terre, et qui n'en sortirait que pour nous dévorer... Sal lui résume en fait l'intrigue du premier roman de... Kerouac, *Doctor Sax*, dans lequel le héros triomphe du Serpent-Satan à l'aide de décoctions de plantes... À l'évidence, cette histoire, située à Lowell, porte la marque d'un catholicisme populaire prompt à concocter des remèdes à tout désir. Peut-être est-ce parce qu'il ne saisit pas le sens de telles légendes, et prend une superstition pour une faiblesse créative, que Tim Hunt s'irrite face à l'image du «Fantôme de Susquehanna» rencontré par Sal traversant la Pennsylvanie[30]. La référence à l'origine canadienne de ce genre de mythes ne pourrait cependant être plus claire, puisque le petit vieillard-fantôme cherche précisément à se rendre au Canada ! Lui aussi ne fait que tourner en rond aux États-Unis, et passe son temps à manquer sa véritable destination[31]... Pour comprendre l'origine de l'obsession du péché chez Jack, il faut une fois encore se tourner vers *Visions de Gérard*, et relire la leçon que Gérard sert à son entourage, de Ti-Jean au chat de la famille. Celui-ci vient en l'occurrence de dévorer la souris sauvée d'un piège par saint Gérard. «Méchante !», s'emporte le garçon. «On n'ira jamais au Paradis si on continue à se manger et à

---

29. Pour un compte rendu cocasse et franc de l'existence de Dean Moriarty/Neal Cassady, on consultera le témoignage de sa première femme, Carolyn Cassady (*Off the Road*, New York, Penguin Books, 1990).

30. «Dans la première partie, l'usage frivole de mythes culturels opacifie la réalité et mène en dernier lieu à l'absurdité du Fantôme de Susquehanna» (Tim Hunt, *op. cit.*, p. 53 ; ma traduction).

31. «Heh? dit le petit fantôme, tu me diras pas que je sais pas me repérer dans le secteur. J'ai arpenté le bled pendant des années. Je me dirige sur le Canady» (*SLR*, 151).

se détruire les uns les autres comme ça tout le temps! [...] Il faut que ça s'arrête un beau jour! On n'aura pas toujours le temps!» (*VG*, 11). Des idées chrétiennes, *Sur la route* ne conserve donc que l'avènement du Royaume de Dieu, c'est-à-dire la dimension proprement messianique de cette religion. Le thème du déplacement — qui marque tout ensemble le déni du présent et la fascination du futur — va de pair avec cette élection.

> Comme nous passions la frontière qui sépare le Colorado de l'Utah, je vis Dieu dans le ciel sous la forme d'un immense nuage doré et brûlant de soleil au-dessus du désert, et qui semblait me montrer du doigt et me dire : «Passe ici et continue, tu es sur la route du Paradis.» (*SLR*, 258)

La route de Sal, par ailleurs, se déploie dans l'espace aussi bien que dans le temps. Le Mexique, en ce sens, n'est pas seulement la Terre Sainte, c'est aussi la Fin des Temps, pressentie par Sal dans la musique apocalyptique d'un bordel de Gregoria : « Tous ces rythmes délirants retentissaient et se déchaînaient dans l'après-midi d'or et de mystère, la musique même qu'on imagine entendre au dernier jour du monde et à la Résurrection» (*SLR*, 405).

Lorsque l'on examine les visions de Sal, on s'aperçoit qu'elles sont pour la plupart liées à la venue d'un prophète, autrement dit d'un être dont la parole représente le Royaume de Dieu. Sal s'imagine apparaître en tant que tel à ses amis de Denver[32], et les hauteurs des Rocheuses lui inspirent par la suite un sentiment similaire :

> Nous étions sur le toit de l'Amérique, et tout ce que nous savions faire, c'était beugler, semblait-il. Franchissant la nuit, par les plaines de l'Est, un vieil homme à cheveux blancs venait sans doute à nous avec la Parole, il arriverait d'une minute à l'autre et nous ferait taire. (*SLR*, 86)

Au terme du voyage, c'est à Dean, entouré de petites filles mexicaines, que revient cette identité : «Il se tenait au milieu d'elles avec son visage misérable tourné vers le ciel, en quête du prochain col, du plus haut, de l'ultime, et semblait être venu parmi elles, tel le Prophète» (*SLR*, 421). Le qualificatif d'«ange», souvent donné à Dean par le narrateur, est donc à prendre bibliquement — et non mièvrement — au sens de «messager», à savoir, une fois encore, de dépositaire d'une parole sur l'au-delà.

---

32. «Je m'imaginais dans un bar de Denver cette nuit-là, avec toute la bande qui me trouverait quelque chose d'étranger et de loqueteux, quelque chose du Prophète qui a traversé le pays à pied pour porter l'obscure parole ; et la seule parole que j'apportais, c'était "Waow!"» (*SLR*, 61).

À l'oreille du lecteur attentif, l'ange, c'est évidemment Gérard Duluoz, « l'ange au cœur doux et tendre » (*VG*, 10), qui, ne l'oublions pas, fut aussi le premier interlocuteur de Ti-Jean : « Les quatre premières années de ma vie sont pénétrées et assombries par le souvenir d'un visage grave et gentil penché sur moi, étant moi, et me bénissant » (*VG*, 2). Gérard ange-gardien, *alter ego*, mais aussi Gérard porteur d'un message que Jack n'en finira plus d'écrire, de taper au kilomètre — message aussi interminable que la route de Sal et de Dean, puisque le Paradis en est le terme. Pierre Aubéry insiste :

> Il est essentiel de ne pas diluer ou de ne pas tenter de naturaliser le supra-naturalisme du dogme catholique si l'on veut comprendre à la fois la vigueur de l'enseignement et de l'Église au Québec, sa profonde et subtile influence sur les esprits et les comportements, en même temps que son apparente fragilité. Le catholicisme est une religion du salut[33].

Après tout, la connotation du nom du narrateur — Salvatore Paradise — ne peut pas être ignorée.

« [*Dean*] *was BEAT — the root, the soul of Beatific* » (« [Dean] était BATTU — ce qui est source de Béatitude », [*OTR*, 195 / *SLR*, 276]). Dans cet apparent jeu de mots du narrateur se joue à mon sens toute la généalogie du plus grand héros de la Beat Generation. Mais il faut passer par le messianisme canadien, et son sens intime de la souffrance comme marque du salut, pour en comprendre pleinement le sens. Il faut, autrement dit, savoir lire à l'envers — savoir reconnaître dans la misère terrestre la félicité céleste — pour entendre, dans le BEAT du cœur de Dean, les dernières palpitations de Gérard le Béat.

---

33. Pierre Aubéry, « Aspects du messianisme québécois », *Contemporary French Civilization*, vol. IV, n° 2, 1980, p. 222-223.

Laissez-passer pour *Le désert* de Loti : de la relecture aux frontières de l'altérité et de l'illisible

RACHEL BOUVET

Assis sous la tente à l'*Oasis de Moïse*, d'où il doit partir avec son équipage pour traverser le Sinaï, Pierre Loti relit la lettre que lui a confiée le « séid Omar, fils d'Edriss », un laissez-passer qui devrait lui permettre de traverser sans encombre certaines régions désertiques réputées dangereuses. Il serait plus juste de dire qu'il lit la traduction faite par le Consul de France à Alexandrie[1], qui indique d'ailleurs que ce message du séid Omar est suivi d'une « invocation divine et mystérieuse de la secte des Senoussi » — intraduisible selon lui et par conséquent illisible pour Loti. C'est donc avec la représentation d'un acte de lecture assez singulier que commence le récit de voyage intitulé « Le désert », premier volet d'une trilogie relatant un voyage en Terre sainte effectué en 1894[2]. Loti précise ensuite qu'un laissez-passer n'aurait pas été nécessaire s'il avait choisi de suivre l'itinéraire le plus facile et le plus touristique, qui rejoint El Arich par la côte méditerranéenne, ou encore l'itinéraire de Nackel, qui coupe au centre de la péninsule. S'il insiste

---

1. C'est ce qui est indiqué au début de l'ouvrage, mais la signature apposée au bas de la lettre ne correspond pas à celle du consul. La traduction serait vraisemblablement l'œuvre d'une autre personne, comme l'explique Jean R. Michot dans « *Le désert* : l'expédition de P. Loti au Sinaï et la presse égyptienne (1894) », *Les lettres romanes*, vol. XLIV, n⁰ˢ 1-2, 1990, p. 35.
2. Les deux textes suivants s'intitulent respectivement « Jérusalem » et « La Galilée ». Ce récit a d'abord été publié en feuilleton dans la *Nouvelle Revue*, entre le 15 septembre et le 1ᵉʳ décembre 1894, puis en volume en juin 1895 chez Calmann-Lévy. Réédité en 1923, au moment de la mort de Loti, il est tombé dans l'oubli jusqu'en 1987, date à laquelle les Éditions Christian Pirot ont décidé de le republier, avec une préface de Jacques Lacarrière. Il a été repris dans le volume rassemblant les *Voyages* de Loti, chez Robert Laffont, dans la collection « Bouquins ».

pour emprunter l'itinéraire le plus difficile, qui passe par le monastère de Sainte-Catherine, au sud, qui longe ensuite le golfe d'Akabah et qui traverse le désert de Pétrée, c'est parce qu'il souhaite rencontrer le cheikh de Pétra et dépasser ainsi les frontières imposées à l'époque aux étrangers[3]. D'emblée, le rapport à l'autre se pose en termes de lecture : lecture du sauf-conduit, survol des « mystérieux caractères » inscrits au bas de la page, lecture de la carte du Sinaï. Si l'on approfondit un peu plus la question, on s'aperçoit que l'acte de lecture du livre de Loti est lui aussi problématique, étant donné que le texte est précédé de trois documents : le laissez-passer, sa traduction et la carte du Sinaï annotée de la main de l'auteur[4]. Autrement dit, lorsqu'on se met à « lire par-dessus l'épaule » de Loti, on a déjà un temps d'avance ; on dispose à la fois de la représentation de l'acte de lecture et des documents lus, de la version originale et de la traduction. En quels termes poser alors le problème de l'altérité et de l'illisibilité ? Afin de mieux comprendre les subtilités du récit et de sa lecture, je distinguerai trois étapes dans ce voyage, trois étapes au cours desquelles la tension entre soi et l'autre se transforme considérablement. Il est en effet nécessaire de montrer que le périple, loin de s'engager tout de suite sur la voie de l'altérité, est tout d'abord ponctué par des références à l'univers judéo-chrétien. Voyager consiste dans un premier temps à revisiter des contrées de la mémoire culturelle, à relire la Bible, l'Exode en particulier, puis les Évangiles, à partir du moment où surgissent des images du Christ, deux étapes nécessaires semble-t-il avant de se heurter à un espace inaccessible — même après des journées de palabres et un laissez-passer en bonne et due forme —, aux frontières de l'altérité, au seuil des écritures illisibles. L'espace traversé, le désert, constitue quant à lui une altérité radicale, au même titre que la mort. Si on peut le parcourir, admirer les formes surprenantes dont il se pare, méditer sur le temps des origines auquel renvoie cette écriture de la pierre, du minéral, le désert n'en suscite pas moins une expérience des limites pour l'humain qui, confronté à un espace sans vie, ne peut s'empêcher d'y lire les signes avant-coureurs de sa propre mort[5].

3. Une carte, placée au début du livre, présente ces trois itinéraires, tracés de la main de l'auteur. Toutefois, Pétra n'apparaît pas sur cette carte. Pour avoir une meilleure idée des trois itinéraires, il vaut mieux se reporter à la carte présentée dans l'ouvrage de Christian Genet et Daniel Hervé, *Pierre Loti l'enchanteur*, Gémozac, Éditions C. Genet, 1988, p. 292.
4. Dans l'édition Pirot.
5. Cette recherche a été rendue possible grâce à une subvention des fonds FCAR, que je tiens à remercier.

De l'Oasis de Moïse au mont Sina

Non-croyant, n'étant pas guidé par la foi, Loti décide néanmoins de traverser le Sinaï avant de fouler des pieds la Palestine, de «préparer [s]on esprit dans le long recueillement des solitudes[6]». À première vue, le récit semble relater un pèlerinage sur les traces des Hébreux conduits par Moïse hors d'Égypte, un nouvel exode, dont on trouve des traces livresques en exergue au début des chapitres. Entre le 23 février et le 1er mars, date à laquelle «Loti bédouin» arrive au monastère Sainte-Catherine, pas moins de six passages de la Bible, de l'Exode en particulier, sont cités. Manifestement, cette première étape du périple rejoint les caractéristiques du voyage livresque : avancer dans l'espace, c'est reconnaître au passage des éléments connus, lus dans la Bible, ouvrage fondateur dans l'imaginaire judéo-chrétien. Cette pratique n'a rien d'original, elle est même très courante dans le récit de voyage, ainsi qu'en témoignent de nombreuses études faites sur le sujet[7]. Elle se trouve décuplée dans le cas du voyage en Terre sainte, au point où elle devient presque une obligation : le voyage offre l'occasion à nulle autre pareille de relire le livre saint, de méditer sur l'exil des Hébreux à travers le Sinaï, de revisiter des lieux que la mémoire abrite depuis longtemps, de joindre le geste — mettre ses pas dans les traces laissées lors des quarante années d'exil — à la parole (sacrée[8]).

Les critiques ont souvent abondé dans ce sens. Quella-Villéger affirme par exemple dans sa biographie que «Loti bédouin [...] se prépare avant le grand rendez-vous théologique[9]», tandis que Meitinger voit dans ce voyage «le moment et le moyen d'une purification et d'une ascèse préliminaire[10]». D'autres, au contraire, comme Jean-Claude Berchet,

6. Pierre Loti, *Le désert*, Paris, Éditions Christian Pirot, 1987, p. 27. Dorénavant désigné à l'aide du sigle (*D*), suivi du numéro de la page.

7. Voir notamment l'ouvrage de Christine Montalbetti, *Le voyage, le monde et la bibliothèque* (Paris, PUF, coll. «écriture», 1997), ainsi que les études réunies par Sophie Linon-Chipon, Véronique Magri-Mourgues et Sarga Moussa dans *Miroirs de textes. Récits de voyage et intertextualité* (Nice, Publications de la Faculté des Lettres, Arts et Sciences Humaines de Nice, 1998).

8. Voir entre autres le chapitre sur les voyageurs québécois en Terre sainte intitulé «La représentation de l'autre» dans le livre de Pierre Rajotte, Anne-Marie Carle et François Couture, *Le récit de voyage. Aux frontières du littéraire* (Montréal, Triptyque, 1997).

9. Alain Quella-Villéger, *Pierre Loti. Le pèlerin de la planète*, Bordeaux, Aubéron, 1998, p. 217. Voir également l'article de Robert Stanley, «Le doute ne peut vaincre la foi. Flaubert et Loti à Jérusalem», trad. Anne Dominique Grenouilleau, *Revue Pierre Loti*, n° 25, 1986, p. 9-18.

10. Serge Meitinger, «Trois proses du désert : P. Loti, A. Memmi, JMG Le Clézio», *Travaux et documents*, Faculté des lettres et des sciences humaines, Université de la Réunion, n°s 6-7, janv.-oct. 1995, p. 192.

considèrent que Loti brouille les repères volontairement : il aurait
d'ailleurs insisté auprès de Juliette Adam, directrice de la *Nouvelle Revue*,
pour ne pas situer son texte dans la perspective du pèlerinage[11]. Les
épigraphes bibliques devraient se lire selon lui comme des parodies
puisqu'elles sont reliées à des phénomènes relatifs au climat ou à des
événements triviaux[12]. En effet, quand on regarde de près les citations,
on s'aperçoit que les passages extraits de la Bible coïncident exactement avec les incidents survenus pendant le voyage de Loti. Mais avant
d'examiner de plus près ces exergues, regardons à nouveau la première
indication spatiale du récit, soit celle de l'*Oasis de Moïse*. Sur la carte, on
ne trouve pas ce toponyme, mais les mots « Ayn Moussa », qui signi-
fient « Source de Moïse[13] ». Cette dénomination, que l'on trouve plus
souvent au pluriel (*Ayoun Moussa / Sources de Moïse*), provient du fait que
l'eau saumâtre que l'on y trouve aurait été momentanément dessalée
par Moïse, lequel y aurait lancé un bout de bois, délivrant ainsi son
peuple de la soif. Par ailleurs, si l'on consulte la carte sur laquelle Christian Genet et Daniel Hervé ont reconstitué l'itinéraire de Loti ainsi que
les trajets évoqués, mais non effectués, on peut lire à côté de « Ayn
Moussa » les mots « Fontaine de Moïse[14] », qui renvoient au récit que
fait Loti de son arrivée en ce lieu (« En une demi-heure, ils nous menè-
rent à l'oasis de la *Fontaine de Moïse* » ; [*D*, 29, souligné dans le texte]). Le
premier repère spatial est donc issu d'un raccourci qui institue l'*Oasis de
Moïse* comme toponyme équivalent à *Ayn Moussa*, alors que le second
(*Fontaine de Moïse*) instaure une confusion entre deux lieux : on pourrait
toujours penser que « fontaine » est une traduction possible de « Ayn », si
l'on s'en tient au premier sens du mot, mais il s'avère que ce toponyme
existe bel et bien et qu'il désigne une source située sur le mont Moïse
— environ 300 km plus loin —, source qui ravitaille le couvent Sainte-
Catherine et qui, selon la légende, serait celle où Moïse menait son
troupeau. Les deux premières traductions proposées comme équiva-
lentes du nom arabe entraînent donc, on le voit, des glissements géné-

11. C'est ce que semblent indiquer le choix du titre, très neutre, qui ne permet pas
d'inférer qu'il s'agit du Sinaï, terre sacrée, ainsi que la publication en trois parties distinctes.

12. Jean-Claude Berchet, « Un marin dans le désert : Pierre Loti 1894 », dans Alain
Buisine (dir.), *L'exotisme*, Paris, Didier érudition, 1988, p. 305-318.

13. Il est à noter que le mot *ayn* (ou *aïn*) signifie à la fois la source et l'œil ; il s'agit
d'une métaphore organiciste qui associe une partie du corps à un élément de la surface
terrestre, les sources et les puits pouvant être considérés comme autant d'yeux qui
s'ouvrent dans le désert. De nombreux toponymes sont construits à partir de ce mot : *Aïn
Sukhna, Aïn as-Siliyiin, Aïn Qurayshat, Aïn Sefra*, etc.

14. Christian Genet et Daniel Hervé, *op. cit.*, p. 292.

rant une certaine confusion sur le plan spatial, un malentendu qui se répercute également sur la lecture.

Le premier exergue — qui rappelle que le désert de Sur ne recèle pas d'eau, au grand dam des Israélites partis d'Égypte depuis déjà trois jours — sert de déclencheur au second chapitre, qui présente un voyageur averti, bien équipé pour une pareille traversée : «Dans des barils et des outres, l'eau du Nil nous suit au désert de Sur» (*D*, 32). Comme un refrain qui se répète, le second exergue relate le campement des Hébreux dans le désert du Sinaï, avec cette réplique laconique du narrateur : «C'est le cinquième jour sans eau. Mais notre provision d'eau du Nil nous suffit encore» (*D*, 47). De la soif aux intempéries, de la sécheresse à la pluie, le réseau intertextuel continue de tisser ses méandres : le troisième exergue fait part en effet des manifestations du divin dans l'Exode — les tonnerres, les éclairs, la nuée sur la montagne —, manifestations qui s'avèrent des plus naturelles dans le récit de l'orage qui se déchaîne. Réveillés en pleine nuit, les voyageurs doivent repiquer leurs tentes, dans une atmosphère où «règne une épouvante d'apocalypse» (*D*, 50), alors qu'au matin, des sensations olfactives surprenantes, merveilleuses, les attendent : «[...] on croirait que l'air est rempli de benjoin, de citronnelle, de géranium et de myrrhe...» (*D*, 51). Tel «un temple d'Orient», la vallée semble rendre un culte muet mais odoriférant à la pluie qui a ravivé les plantes, qui a fait renaître la douceur après la tourmente. Le sol est désormais recouvert de «graines blanches, comme des grêlons après une averse...» (*D*, 51), des graines que le narrateur associe quelques lignes plus loin à la manne. Cette fois, le jeu intertextuel est plus subtil, puisqu'il fait intervenir tous les éléments de la citation. Le chapitre VIII, très court (une seule page) est entièrement consacré à cette correspondance mystérieuse avec les mots du Livre sacré : «Et cette couche de rosée s'étant évanouie, voici, sur la superficie du désert, quelque chose de menu et de rond comme du grésil sur la terre» (Ex 16, 14). Nourriture envoyée par Dieu pour sauver son peuple en exil, la présence de la manne trouve ici une explication naturelle : la pluie ayant accéléré la germination, la floraison et le mûrissement, le vent a apporté jusque devant les tentes les minuscules fruits des plantes épineuses de la région. Loti y décèle un «goût de froment», ce qui a pour effet de resserrer encore plus les liens entre les deux récits, la manne étant un équivalent symbolique du pain. L'exergue suivant annonce quant à lui un autre mode, celui de la déception. Parvenu devant «le mont Sina» (Ex 29, 18), le narrateur s'exclame :

Hélas! comme elle est silencieuse, sinistre et froide cette apparition de la montagne très sainte, dont le nom seul, à distance, flamboyait encore pour nous. Les temps sont trop lointains, sans doute, trop révolus à jamais, où l'Éternel y descendit dans les nuées de feu, au son terrible des cors; fini, tout cela, elle est vide à présent, comme le ciel et comme nos modernes âmes; elle ne renferme plus que de vains simulacres glacés, auxquels les fils des hommes auront bientôt cessé de croire... (*D*, 57)

La relecture de la Bible permet donc de relier l'exode des Hébreux au voyage réel. Grâce à l'analogie, principe à la base de la relation entre le voyage et le texte selon Andreas Wetzel[15], un jeu de miroir s'établit entre les deux textes, qui a pour effet de banaliser les manifestations divines, de reprendre sur un ton badin, où perce effectivement une certaine ironie, les paroles sacrées. Le ton change à partir du moment où le mont Sina apparaît, comme si la vue de la montagne signalait la fin du jeu. Tant que le but de la première étape n'était pas atteint, le narrateur pouvait s'amuser à mettre en résonance les deux textes, mais avec ce basculement de l'imaginaire au réel, la montagne sacrée perd définitivement son aura[16]. Les Écritures saintes ne parviennent plus, semble-t-il, à relancer l'imagination et c'est un constat non équivoque, une déception avouée qui clôt cette première étape.

Il faut cependant ajouter qu'un autre exergue tiré de l'Exode intervient plus tard, mais déjà le voyage dans la mémoire culturelle a changé de trajectoire : avant de pénétrer dans la crypte du « Buisson ardent », le narrateur mentionne que la tradition consistant à se déchausser avant de fouler des pieds une terre sainte est un commandement de Dieu, tel qu'évoqué dans le sixième exergue. Toutefois, ses pieds nus ne l'emportent pas tout de suite vers l'épisode biblique ; ce sont plutôt les premiers temps du christianisme qui surgissent au gré des lignes, les dorures byzantines de la basilique mêlées au souvenir des anachorètes ayant propulsé l'auteur au-delà du VIᵉ siècle.

Cette première étape du voyage à la fois temporel et livresque, qui part de l'*Oasis de Moïse* pour aboutir à la crypte du Buisson ardent que le monastère renferme jalousement à l'intérieur de ses murs, inaugure un *retour sur soi*, sur les lectures de la Bible, texte fondamental dans la

---

15. Voir en particulier le chapitre 2, « Analogie et voyage », de son ouvrage intitulé *Partir sans partir. Le récit de voyage littéraire au XIXᵉ siècle*, Toronto, Éditions Paratexte, 1992.
16. On peut ajouter que son nom même perd un peu de sa superbe une fois confronté à la géographie. En effet, il y a tout lieu de croire qu'il s'agit ici du mont Moïse (Gébel Musa), généralement considéré comme le mont Sina de la Bible. Moins haut que la montagne Sainte-Catherine (Gébel Katharin), qui surplombe également le couvent, il fait partie du Sinaï, nom qui désigne l'ensemble du massif montagneux où les Hébreux s'étaient installés.

culture occidentale. Véritable clé de lecture du paysage (manne), des conditions météorologiques (orage), des conditions matérielles du voyage (provision d'eau), l'exergue joue souvent un rôle de déclencheur du récit. Loin de favoriser la méditation sur les fondements d'une religion, sur les quarante années d'exil des Hébreux, la pratique de la citation témoigne plutôt d'une certaine frivolité, d'un ludisme qui prend fin avec la déception finale, avec l'escale au monastère. Cette escale inaugure un changement important sur le plan livresque, puisqu'elle nous fait subrepticement passer de l'Ancien au Nouveau Testament.

Escale au monastère Sainte-Catherine

Arrivé avec ses compagnons au monastère Sainte-Catherine, où il va séjourner quelques jours, Loti visite les édifices, assez labyrinthiques, et en particulier la basilique contenant deux châsses offertes par la Russie pour la sainte. C'est en raison du mauvais temps, de la neige qui s'est mise à tomber, que Loti a demandé aux moines la permission de pouvoir camper près des murs du monastère, mais finalement ces derniers ont décidé de l'héberger. Sauvé du désastre où les intempéries l'avaient mené, Loti va occuper une cellule de pèlerin, se retrouvant sans le vouloir immiscé dans la lignée d'hommes pieux «venus ici de tous les coins du monde», ayant témoigné de leur présence en écrivant — eux aussi —, en gravant leurs noms sur le mur de la chambre qu'il occupe : «[...] des noms russes, des noms grecs, des noms arabes, — et un seul nom français : "Prince de Beauvau, 1866"» (*D*, 59-60). Ce nom retient d'autant plus l'attention qu'il est le seul nom lisible, les autres empruntant à trois alphabets différents, indéchiffrables pour le narrateur qui peut tout au plus reconnaître leur origine. L'architecture du monastère, à l'image du cosmopolitisme chrétien représenté par les noms, emprunte à toutes les traditions (byzantine, syriaque, copte, grecque, russe, arabe), dans un désordre qui contribue à créer un effet labyrinthique, archaïque, inquiétant :

> [...] nous le suivons, dans la série des petits couloirs, escaliers, passages voûtés où s'égouttent des neiges qui fondent. Tout est contourné, déformé et fruste. Il y a de vieilles portes de style arabe ou de style cophte, les unes sculptées, les autres en marqueterie. Il y a des inscriptions arabes, grecques ou syriaques, dont les plus jeunes ont des siècles... (*D*, 63)

Ce délabrement, cette vétusté des cellules, des passages, des petites chapelles «nichées çà et là dans des recoins du vieux dédale» (*D*, 67) contraste fortement avec les richesses contenues dans les bibliothèques et surtout dans la basilique. Pourtant, la description insiste sur un aspect commun à toutes ces *reliques* de la mémoire culturelle, l'aspect archaïque :

> Et puis, on est saisi de l'archaïsme presque sauvage de ce sanctuaire, plus encore que de sa richesse. C'est une relique des vieux temps, étonnamment conservée ; on se sent plongé là dans un passé naïf et magnifique, — si lointain et pourtant si présent, qu'il inquiète l'esprit. (*D*, 63)

Le présent va à partir de ce moment devenir lui aussi « naïf et magnifique », surtout à partir de la scène suivante, qui se déroule dans la crypte du Buisson ardent, située derrière le tabernacle de la basilique. Si Loti prend un certain plaisir à soutenir le regard des « Saintes rigides, en robe de vermeil » (*D*, 65), si la loge où l'ange de l'Éternel est apparu à Moïse ne semble pas l'émouvoir, en revanche, la figure du jeune moine chargé de leur faire visiter la basilique évoque un passé prestigieux : « Même ce moine qui nous accompagne, avec ses longs cheveux roux couvrant ses épaules, et sa pâle beauté d'ascète, doit être en tout semblable aux illuminés des époques premières » (*D*, 66). Figure faisant surgir des cohortes d'anachorètes venus se perdre dans les déserts de la Thébaïde, images bien connues d'ermites recherchant Dieu à travers la pauvreté et la solitude, elle se superpose un peu plus loin à la figure du Christ. Lorsque Loti revoit le jeune moine le dernier soir de son séjour au monastère, occupé cette fois à rallumer des veilleuses dans la basilique, la ressemblance s'accentue à un point tel qu'on a l'impression d'être témoins d'une vision : « Sa pâleur, ses yeux d'illuminé inspirent presque une crainte religieuse, tant il ressemble, sur ces fonds d'or atténués par les siècles, à quelque image byzantine du Christ, qui aurait pris vie » (*D*, 78). Ses gestes prennent dès lors une tout autre dimension ; quand il sort de la châsse[17] « la main desséchée et noire de sainte Catherine » ainsi que « la tête de la sainte, que couronne un diadème de pierres précieuses, débris effroyable entouré de ouate et sentant le naprum des momies… [*sic*] » (*D*, 79), il acquiert soudain les traits d'« un Christ ensevelisseur » (*D*, 79) :

> Et, à nos yeux, ce moine aux longs cheveux roux et au beau visage pur, est devenu tout à fait le Christ, — le Christ, en simple robe noire au milieu de ces richesses amoncelées, qui est là près de nous, qui vit et se meut ; sa présence ne surprend même plus, dans ce cadre des premiers siècles, évocateurs d'ombres saintes… (*D*, 79)

---

17. Il s'agit de la troisième châsse. Les deux autres ne contiennent que des ornements.

Tout d'abord gardien du lieu sacré où Dieu lui-même se serait manifesté, puis identifié à un illuminé semblable à ceux que les déserts d'Égypte ont connus au début du christianisme, le moine ressort du tombeau le corps d'une martyre contemporaine de ces anachorètes. Il faut rappeler que des événements plutôt étranges ont suivi le décès de la jeune femme d'Alexandrie, condamnée au supplice de la roue et à la décapitation pour avoir refusé d'abjurer sa foi chrétienne. Les anges auraient en effet recueilli ses restes sur la roue — qui aurait du même coup écrasé les spectateurs de l'horreur — pour les transporter sur la montagne la plus haute d'Égypte, qui porte désormais son nom[18]. «Voici son corps», semble dire le moine, être à la fois étrange et familier, répétant le geste d'offrande du corps mort. Sauf qu'il s'agit d'un «débris effroyable», porteur d'une angoisse que les bagues, les bracelets et le diadème ne parviennent pas à endiguer, d'une momie désarticulée, démembrée, où l'on a peine à reconnaître la sainte. Familier de la mort et du sacré, le moine finit par devenir aux yeux du visiteur le Christ lui-même, ce qui a pour effet de transformer Loti en l'un de ses contemporains. Rencontre étrange et fascinante, qui nous transporte à des siècles de distance, qui mêle, au sein de la figure christique, des traits issus de plusieurs traditions : les Évangiles, les *Apophtegmes* (Paroles des Pères du désert) et la tradition esthétique byzantine en matière d'architecture, de peinture et de décoration, telle qu'instaurée par l'Empire romain d'Orient.

Il importe de mentionner en effet que le monachisme chrétien a pris naissance dans les déserts d'Égypte et qu'il a surtout été propagé par des coptes. Les premiers anachorètes avaient quitté la vallée du Nil pour s'établir dans les déserts avoisinants et y vivre en véritables ermites, comme saint Antoine, ou y fonder des couvents, comme saint Pacôme[19]. Le couvent Sainte-Catherine ne relève pas tout à fait de cette tradition, puisqu'il a été fondé en 550 par l'empereur Justinien à la fois pour protéger le corps de la sainte et abriter la crypte du Buisson ardent, et qu'il a toujours été occupé par des moines de tradition grecque orthodoxe. Le couvent jouit d'ailleurs d'une pleine autonomie : les moines élisent un

---

18. Jean Marcel a en quelque sorte réécrit cette légende dans son roman *Hypathie ou la fin des dieux*, en effectuant un rapprochement plutôt troublant entre sainte Catherine et Hypathie, la célèbre philosophe et mathématicienne mise à mort par une horde de chrétiens s'attaquant aux païens d'Alexandrie. De nombreux traits communs peuvent en effet laisser croire qu'il s'agirait d'une seule et même personne.

19. Voir à ce sujet les livres de Monique Berry, *Ivresse de Dieu. Aventures spirituelles en Égypte au IVe siècle* (Paris, Albin Michel, coll. «Spiritualités vivantes», 1991) et de Jacques Lacarrière, *Les hommes ivres de Dieu* (Paris, Fayard, 1975).

archevêque du Sinaï et subsistent grâce aux domaines que le couvent possède dans les îles grecques. Néanmoins, le monastère est identifié par le voyageur comme la «demeure de la solitude» si souvent évoquée dans les récits des Pères du désert :

> Et toujours le même silence inouï enveloppe ce fantôme de monastère, dont l'antiquité s'accentue encore sous ce soleil et sous cette neige. On sent que c'est vraiment bien là cette «demeure de la solitude» entourée partout de déserts. (D, 62)

Si l'on prend en considération le fait que la «retraite au désert» a joué un rôle fondamental dans la constitution de l'imaginaire chrétien, on peut donc affirmer que l'escale au monastère, plutôt que d'occasionner une simple visite touristique, donne lieu à une relecture de l'histoire des premiers siècles chrétiens. Elle permet également de découvrir des trésors : dans l'église byzantine tout d'abord, puis dans la crypte, la description met en valeur la profusion et la beauté des lampes, mosaïques, broderies, étoffes, tapis, pierres précieuses, icônes d'or et d'argent, ainsi que des «évangiles, manuscrits sur parchemin qui ont mille ou douze cents ans, reliés de pierreries et d'or» (D, 64). Les manuscrits conservés dans les bibliothèques ont peut-être moins d'éclat, mais ce sont «d'uniques et introuvables œuvres» (D, 67), écrites en syriaque, en grec, de «vieux parchemins sans prix, enluminés patiemment dans le silence des palais ou des cloîtres, livres écrits de la propre main de saint Basile ou de saint Chrysostome, évangiles calligraphiés par l'empereur Théodose...» (D, 67)[20]. Et l'auteur de se désoler de l'état dans lequel se trouvent ces reliques, de l'humidité et du manque de soins qui mèneront sans nul doute possible ces merveilles à une destruction prochaine. Inutile de s'arrêter plus longtemps sur ce leitmotiv qui rythme l'œuvre de Loti et qui concerne l'imminence de la mort, de la fin des choses. Le monastère ressemble en effet à certains moments à un vaste tombeau : «Le silence est inouï ; on est dans des ruines, chez des morts» (D, 73), les moines ont des allures de «fantômes» quand ils traversent sans bruit les couloirs. Ce qui est plus intéressant à souligner dans cette escale, c'est l'apparition inattendue du Christ, ou du moins de l'un de ses substituts. Cette image rejoint la lignée des images de soi, puisque encore une fois c'est une mémoire qui est investie, et non un territoire autre. Seulement, contrairement à ce qui se produit lors de la première étape, ces évocations christiques ne donnent lieu ni à l'ironie, ni à la

---

20. La bibliothèque du monastère abrite une collection de manuscrits chrétiens qui est considérée actuellement comme la seconde au monde, après celle du Vatican.

déception. C'est l'étrangeté, l'angoisse née du contact avec les reliques, le sentiment de côtoyer des êtres en provenance d'une autre époque, qui prime par-dessus tout. À ce sujet, les affirmations de Suzanne Lafont, qui envisage le désert comme l'un des continents de l'exotisme chez Loti — les deux autres étant la Turquie et le Japon — méritent d'être quelque peu nuancées. Voici en quels termes elle évoque le voyage de Loti au désert :

> Le troisième continent, de tous le plus surprenant, nous amènera dans les mirages du désert, là où il n'y a plus ni modèle ni copies. Horizon de tous les récits, le désert est une véritable chambre obscure qui fabrique ses propres visions en même temps qu'elle les efface dans une dialectique très lotienne. *Nul monument du souvenir en ce désert mais des énigmes au sens définitivement perdu.* Si la figure du Christ domine le désert comme Aziyadé la Turquie ou Chrysanthème le Japon, elle est un principe de dispersion du sens et non sa garantie[21].

Si le principe de dispersion du sens semble bien s'appliquer à la figure du Christ, comme nous le verrons plus loin, en revanche il est difficile de passer outre le « monument du souvenir » que constitue à sa manière le couvent Sainte-Catherine. L'analyse des pages consacrées à ce séjour parmi les moines montre bien le rôle que joue l'établissement dans la série d'évocations qui ont pour effet de remettre en mémoire l'histoire des premiers siècles chrétiens et de faire surgir l'image du Christ. Certes, ce couvent n'est pas considéré comme un monument du souvenir relié directement à Jésus, comme peut l'être le mont des Oliviers par exemple, d'où un effet de surprise beaucoup plus grand. L'image du Christ surgit par l'intermédiaire d'un être qui semble en parfaite osmose avec le lieu qu'il habite : son visage ressemble à celui des icônes accrochées aux murs, ses actes (faire visiter la crypte du Buisson ardent, exposer les reliques de la sainte) sont déterminés par le lieu doublement sacré où il évolue, son isolement (à l'image des anachorètes) recoupe celui du monastère (en plein désert). La dispersion du sens se manifeste davantage dans les pages suivant l'escale au monastère, dans les parenthèses qui ponctuent le récit de la traversée du désert jusqu'à Gaza.

Si l'escale au couvent Sainte-Catherine offre l'occasion d'une rencontre inattendue, la série de « coïncidences » qui intervient par la suite est encore plus étonnante. Il est possible en effet d'observer dans ce jeu très discret de dates et de parenthèses un lent processus d'identification à la destinée christique. Une légère entorse à la chronologie du voyage

---

21. Suzanne Lafont, *Suprêmes clichés de Loti*, Toulouse, Presses universitaires du Mirail, 1994, p. 18 (je souligne).

est nécessaire ici pour bien saisir comment ces indications — appartenant plutôt de fait à la troisième étape — s'inscrivent dans une série temporelle qui débute au monastère. Mettons donc entre parenthèses le trajet qui suit immédiatement le départ du monastère pour examiner de près les références à l'Ancien et au Nouveau Testament.

L'entrée du 18 mars est suivie d'une parenthèse précisant qu'il s'agit du dimanche des Rameaux. Loti fait route à ce moment-là vers Gaza, en Palestine, où il arrive le 25 mars, jour de Pâques, comme le précise la parenthèse. Mais déjà, la veille, il imagine ce moment crucial : « Bientôt ce sera Chanaan, la terre propice à l'homme, *où coulent le lait et le miel* » (*D*, 187, souligné dans le texte). Le lendemain, c'est « Vendredi saint. [...] Aujourd'hui même, nous entrerons en Palestine, l'anniversaire du jour où y fut crucifié, il y aura tantôt deux mille ans, ce Consolateur que les hommes n'expliqueront jamais... » (*D*, 189). À partir de ce moment, les références bibliques se multiplient : le 24 mars, une citation du prophète Jérémie fait référence aux animaux de la région, le dromadaire et l'ânesse ; le 25, un petit exposé historique rappelle que le nom de Gaza est cité dans la Genèse, dans le livre de Josué et dans le livre des Juges. Puis, le *khamsin*, le vent de sable se lève, transportant avec lui les paroles d'Ésaïe : « Je vois venir du désert, je vois venir de la TERRE ÉPOUVANTABLE, comme des tourbillons chassés par le vent du Midi, pour tout anéantir. » (Es 21, 1, cité p. 205, en majuscules dans le texte.) Le parcours du Sinaï à Gaza entremêle donc deux pèlerinages, le premier ayant pour repères un itinéraire spatial — les traces des Hébreux en route vers Chanaan —, l'autre se basant sur des repères temporels et rappelant l'itinéraire de Jésus (Rameaux, Vendredi saint, Pâques). C'est le jeu des dates utilisées pour circonscrire la métamorphose miraculeuse dans les Évangiles qui sert ici à mettre en parallèle le texte sacré et le voyage ; c'est le calendrier, plutôt que les toponymes et les circonstances atmosphériques, qui détermine les liens intertextuels. Doit-on voir dans ce jeu de dates une simple coïncidence temporelle ? Peut-on aller plus loin, à la recherche d'une certaine cohérence ? En fait, si l'on considère que Loti se laisse prendre au jeu de l'apparition du Christ dans le monastère, il serait tout à fait juste de penser qu'après avoir passé quelques moments en compagnie du moine et de la sainte — du substitut de Jésus et de la mort —, il fasse ensuite semblant de guetter les signes avant-coureurs de sa résurrection. S'il indique que « rien encore, dans cette première ville de Judée, n'éveille pour nous le souvenir du Christ » (*D*, 202), c'est bien parce qu'il s'attend à de nouvelles réminiscences. Mais rien n'apparaît, même pas à Jérusalem (dans le troisième volet du triptyque), où la déception de ne pas avoir été témoin d'une apparition du Christ sera clairement énoncée. Peut-être parce que sa silhouette a disparu depuis longtemps du mont des Oliviers tandis que subsistent encore, dans l'imaginaire lotien, des traces qui conduisent en plein milieu du désert? Force est de constater que le souvenir est revenu là où il n'y avait pas de monument prévu à cette fin (couvent), alors que, sur les lieux mêmes du souvenir (mont des Oliviers), rien ne s'est produit. Comme si le voyage devait nécessairement produire certains décalages.

Vers Pétra

Parallèlement à ces images de soi, puisque le Christ semble ici non pas représenter l'altérité mais une figure connue depuis fort longtemps, apparaissent des images de l'autre. La première marque de l'altérité concerne, comme je l'ai mentionné au début, le laissez-passer, où l'on apprend que Loti jouit chez les Arabes d'une réputation de savant et qu'il respecte leur religion. D'ailleurs, Loti affirme que c'est moins l'attrait du risque et de l'aventure que le désir de rencontrer le cheik de Pétra, «un dangereux guetteur de caravanes, actuellement insoumis à tous les gouvernements réguliers» (*D*, 28), qui explique le choix de cet itinéraire prétendu impraticable. Et de fait, il ne pourra pas, malgré toutes ses tentatives, se rendre jusqu'à Pétra. Il rencontre néanmoins le cheik à Akabah, et celui-ci lui apprend que son territoire est maintenant sous le contrôle de l'autorité turque et que les soulèvements dans cette région empêchent tout Occidental d'y pénétrer, sauf autorisation spéciale du pacha de la Mecque. Impossible donc d'aller jusqu'à Pétra, il faut retourner en Égypte, lui dit-il, par «la route des pèlerins de La Mecque (Nackel et le désert de Tih)» (*D*, 133). Après deux journées de palabres, Loti obtient la permission d'aller directement à Gaza. Remarquons au passage que le but fixé au départ de ce récit de voyage au Sinaï n'était pas Jérusalem, mais Pétra, région insoumise[22]. Le but n'est pas atteint, mais la rêverie de l'ailleurs s'est tout de même enclenchée,

---

22. La ville antique n'était pas aussi célèbre que maintenant : si Loti avait pu s'y rendre, il aurait été «le premier *homme de lettres* appelé à contempler et à décrire les ruines étranges et grandioses de Pétra», comme on peut le lire dans un article de *The Egyptian Gazette* du 14 février 1894. L'article mentionne également les noms des voyageurs ayant visité ce site : Burchardt en 1812, Irby, M. Laborde et le duc de Luynes. À l'époque de Loti, la région est réputée très dangereuse et le site inaccessible pour ces raisons. Voir l'annexe II de l'article de Jean R. Michot, *loc. cit.*, p. 40-42.

puisqu'en suivant la côte sud-est du Sinaï, Loti a pu contempler l'Arabie qui brille de tous ses feux sur l'autre rive :

> Chemin abandonné depuis un millier d'années, [le golfe d'Akabah] est à présent une mer perdue, qui s'avance inutilement dans d'impénétrables déserts. Au-dessus de ses eaux, sur l'autre rivage, rayonne *une chose* invraisemblable et merveilleuse, qui est la côte de la Grande Arabie : *une chose* qui est extrêmement loin et qui semble proche, tant sont nettes les dentelures de ses sommets : on dirait d'un haut mur en corail rose, finement strié de bleu, qui serait debout dans le ciel pour fermer tout l'Orient de la Terre. (*D*, 106, je souligne)

Face à cette « chose » qui ne peut même pas être désignée tant elle dépasse l'imagination, une seule réaction possible : l'émerveillement. Le même soir, le voyageur — qui a déjà parcouru une bonne partie de la planète — avouera d'ailleurs : « Aucune des magnificences lumineuses que mes yeux avaient vues jusqu'à ce jour sur la Terre n'approchait encore de celle-ci... » (*D*, 108). Et quand il arrive à Akabah, ville située sur le chemin du pèlerinage pour les musulmans, il tombe littéralement sous le charme du paysage :

> Ce n'est pas l'enivrement languide des nuits tropicales ; c'est bien autre chose de plus *oppressant* et de plus *occulte* : c'est la tristesse *innommée* des pays musulmans et du désert. L'immobilité de l'Islam et la paix de la mort sont épandues partout... Et il y a un charme très *indicible* à se tenir là, muets et blancs comme des fantômes, à la belle lune d'Arabie ; sous les palmiers noirs, devant la mer désolée qui n'a ni porte, ni pêcheurs, ni navire... (*D*, 123, je souligne)

Un peu plus loin, alors qu'il s'est retrouvé un soir par mégarde en plein milieu d'un cimetière, il fait l'observation suivante : « Et toujours, c'est le désert et c'est l'Islam qui apportent ici l'angoisse sombre, l'angoisse charmante que les mots humains n'expriment plus... » (*D*, 140). Occulte, indicible, innommable, angoissant, oppressant : ces adjectifs définissent bien le rapport à l'Autre dans le texte de Loti. L'altérité se construit dans la tension qui se noue de soi vers l'autre, au-delà des mots, au-delà de la mer que l'on ne pourra jamais traverser. Le lointain exerce ici un charme puissant : face à cette région inaccessible, c'est la contemplation et la rêverie qui l'emportent, plutôt que la déception ou la peur. Si le voyageur parvient à rencontrer le cheik de Pétra, qui s'est déplacé exprès avec ses hommes jusqu'à Akabah, il ne réussit pas néanmoins à convaincre le caïmacan, représentant de l'autorité turque dans cette région, de le laisser franchir les frontières de son territoire. Il lui aurait fallu pour cela une autorisation spéciale du pacha de la Mecque, de qui relève l'Arabie Pétrée. Alors que les deux premières étapes du voyage à travers le Sinaï possèdent les traits d'une relecture, comme on l'a vu plus tôt, la troisième étape occasionne quant à elle une confrontation avec l'altérité. Territoire inaccessible, à la fois physiquement — comme l'illustre à sa manière la mer sur laquelle ne flotte aucun bateau — et intellectuellement, puisque Loti ne connaît l'arabe et l'islam que de manière superficielle, le territoire musulman ne s'appréhende qu'à travers une gamme d'émotions qui vont de la fascination à l'angoisse « charmante », de la sensation d'oppression à la nostalgie. Si les interminables palabres se soldent par un échec, le séjour à Akabah n'en est pas pour autant décevant pour le voyageur, qui semble rechercher autant les plongées dans la mémoire que les situations le plaçant face à l'indéchiffrable. Après le parcours sur la trace des Hébreux et l'escale très chrétienne au monastère, Loti est finalement arrivé à la frontière du connu, une frontière où ce qui ne peut être appréhendé par l'intellect, ce qui ne peut être lu (avant même d'être relu), apparaît du même coup angoissant, indicible. Le fait de ne pas pouvoir aller à Pétra résume bien la dynamique du regard sur l'autre : on voit bien en effet que c'est dans la tension entre soi et l'autre, et non pas dans la rencontre effective, que se construit l'altérité. L'autre demeure cette région inaccessible, lointaine, aux contours flous, aux écritures illisibles.

Il importe à ce sujet de revenir au fameux sauf-conduit présenté au tout début de l'ouvrage. La lettre du séid Omar était, on s'en souvient, suivie d'une « invocation divine et mystérieuse de la secte des Senoussi », pour reprendre les mots du traducteur, un passage qui n'a pas été traduit en raison d'un certain hermétisme, semble-t-il. Contenant des lettres à demi tracées, des mots raturés, des bribes de phrases sans aucun sens apparent, il apparaît en effet presque illisible. Il a été vraisemblablement écrit par un certain Hadj Mohammed Iklil ben Saïd, si l'on en croit les quatre sceaux différents apposés au bas du document, qui n'est pas signé. On ne sait pas grand-chose de ce personnage si ce n'est qu'il s'agit d'un « hadj », d'un saint homme ayant effectué le pèlerinage à La Mecque. Ces différents indices semblent appuyer l'hypothèse de la pratique herméneutique, occulte : en somme, ce paragraphe ne pourrait être lu que par des initiés, dont Loti et le traducteur ne font pas partie. Mais ce que Loti prend pour une « très occulte invocation divine » est en fait « l'œuvre d'une personne à moitié analphabète », d'après Jean R. Michot, qui a retraduit le laissez-passer et examiné de près la missive du cheik[23].

---

23. Jean R. Michot, *loc. cit.*

L'absence de lettres et de mots permettant de rendre le texte compré-hensible serait attribuable au mauvais usage de la langue plutôt qu'à une pratique occulte. Il ne s'agirait donc pas d'une invocation divine et mystérieuse mais tout simplement d'une lettre mal écrite. Cette confu-sion entre l'illisibilité due à l'illettrisme et l'illisibilité voulue, délibérée, relevant d'une pratique savante, provient très certainement de la dis-tance qui sépare les deux cultures. Pourquoi interpréter ce qui est mal écrit comme relevant de l'occultisme si ce n'est parce que l'islam appa-raît mystérieux, ainsi qu'on l'a vu dans les citations précédentes, qui établissent une équation très nette entre musulman et occulte ? Si l'opa-cité des signes donne lieu à une interprétation mystique, plutôt qu'à un constat sur une maîtrise insuffisante de la langue, c'est parce qu'il suffit de peu de choses pour glisser sur la pente de l'intraduisible et de l'indicible. De même que l'Arabie Pétrée exerce un charme puissant sur l'auteur, il semble bien que les écritures illisibles enserrent Loti dans les mailles de leur filet, ne lui laissant pas la possibilité de s'en échapper.

Ce malentendu assez étonnant a des répercussions importantes sur la lecture et l'interprétation du récit de Loti. D'une part, il vient s'ins-crire dans une série de malentendus débutant dès la première page, avec les deux erreurs de traduction concernant les toponymes que l'on a relevées au début : on peut donc affirmer que chez Loti, le rapport à l'autre est d'emblée basé sur un malentendu. D'autre part, on peut se demander quel rôle a joué ce malentendu sur le déroulement même du voyage. Il faut se rappeler en effet que lors de l'escale au couvent, Loti avait envoyé un messager muni du laissez-passer, à dos de dromadaire, pour annoncer son arrivée au cheik de Pétra et s'assurer d'être bien accueilli. Doit-on s'étonner si l'accès demandé a été refusé ? Mohammed Jahl, le cheik de Pétra, a-t-il reconnu la piètre performance de l'auteur de la fameuse «invocation divine», son manque d'éducation, dans un univers où l'on ne prend pas à la légère ce genre de missives ? Rien ne permet d'affirmer une telle chose : le portrait du personnage, sa «figure fine et superbe de vieux brigand», ses «yeux étincelants qui, d'une seconde à l'autre, peuvent être impérieux et cruels ou bien caressants et doux» (D, 131), laisse une impression de duplicité. Impossible de savoir vraiment ce qu'il pense. Le cheik de Pétra retire certes un cer-tain bénéfice de ce changement de programme puisqu'il lui fait payer le passage à la lisière de la péninsule arabique — d'Akabah jusqu'à Gaza — ainsi qu'une escorte de vingt hommes et vingt chameaux. Mais comment savoir ce qu'il pense vraiment du voyageur européen et de son insistance à se rendre sur son territoire, «le désert de Pétra n'ayant en lui-même rien pour justifier l'obstination [qu'il a] montrée»? En fait, Loti s'aperçoit qu'il a été mal renseigné et qu'il aurait dû demander un sauf-conduit adressé au pacha de la Mecque plutôt qu'au cheik de Pétra lorsqu'il était au Caire. Mais il est trop tard : la loi stipule qu'un Européen ne peut séjourner plus de vingt-quatre heures à Akabah. Comme il ne peut envoyer un messager au Caire, il lui faut se résigner à continuer vers Gaza. Le voyage est donc basé sur un malentendu, sur un sauf-conduit qui ne conduit nulle part, sur une «invocation divine» imparfaite, ce que Loti ne soupçonne jamais, du début à la fin.

Une dernière remarque concernant ce passage illisible : il faut noter que ces fameux sceaux ont été utilisés dans le texte comme marques de séparation entre les paragraphes, cela par simple fantaisie décorative, semble-t-il[24]. Quand on sait qu'ils désignent une personne à moitié analphabète que l'on a crue savante, on ne peut manquer de s'étonner. L'hypothèse de l'invocation divine et celle de l'analphabétisme mènent toutes deux à des interprétations déroutantes. Ces sceaux, qui se retrouvent environ toutes les deux pages[25], auraient-ils eu pour fonction de bénir le document, de le protéger, un peu à la manière d'un talisman? Toujours est-il que l'altérité s'inscrit au cœur du signifiant et par le fait même au cœur de la lecture. Ces signes, que l'on assimile à des décorations et qui peuvent faire penser à première vue à des empreintes digitales, demeurent insaisissables tant que l'on ne possède pas les clés de la calligraphie arabe. On ne soupçonne même pas la présence d'un inconnu, pourtant désigné en toutes lettres, dans ces pages écrites en français. La lecture du récit nous conduit, comme l'avait fait le voyage pour Loti, à une confrontation avec l'indéchiffrable, avec une altérité d'ordre culturel. Un pas de plus et l'on rencontre une autre forme d'altérité, beaucoup plus radicale cette fois : celle du désert.

L'altérité radicale du désert

La traversée de l'espace désertique entraîne chez le voyageur une méditation sur le temps des origines. Elle met en jeu un phénomène curieux, où l'on observe une sorte de rabattement de l'immensité de l'espace désertique sur le temps, comme si une forme de contamination avait eu lieu, faisant en sorte de lui accorder les mêmes traits qu'à l'espace. Le temps semble en effet s'étirer, comme l'espace désertique, jusqu'à

---

24. Fait à noter, ces sceaux sont présents dans l'édition Pirot, mais pas dans l'édition de 1991 des *Voyages* dans la collection «Bouquins».
25. Sur 180 pages de texte, on note 121 occurrences des sceaux.

l'infini, jusqu'aux débuts du monde. Contempler les étendues désertiques permet d'imaginer le temps d'avant la création, d'entrevoir l'aube
des temps.

> Les montagnes sont de sable, d'argile et de pierres blanches : amas de ma-
> tières vierges, entassées là au hasard des formations géologiques, jamais
> dérangées par les hommes, et lentement ravinées par les pluies, lentement
> effritées par les soleils, depuis les commencements du monde. (D, 40)

Les rochers aux formes les plus étranges servent de point d'appui à une
rêverie du minéral : « [...] c'est la splendeur de la matière presque éter-
nelle, affranchie de tout l'instable de la vie ; la splendeur géologique
d'avant les créations... » (D, 46). Témoignage d'un temps d'où l'humain est exclu, d'où la divinité même semble exclue, la matière miné-
rale du désert permet de frôler les limites temporelles. Subordonné à
ce désir de se pencher au-dessus des gouffres temporels, le regard ne
capte pas le pittoresque des montagnes ou les formes singulières qui
émergent du terrain, il tend plutôt vers l'abstraction, comme le montre bien Isabelle Daunais :

> Les descriptions de Loti peuvent se définir comme une entreprise de fusion
> des formes, d'*effacement* de toutes les marques du temps qui viendraient dire
> l'Histoire ou même les sciences. [...] comme les paysages qu'il traverse sont
> déjà des paysages aux repères minimaux, cette mesure, ou cet équilibre,
> entre le terrain et ses formes possibles, aura pour conséquence de redou-
> bler l'abstraction et le détachement des lieux et, dans une surenchère de la
> désorientation, fera déborder l'image vers l'irréel et le fantastique[26].

Confronté à un paysage grandiose, où la main de l'homme n'a pas
laissé de marques, Loti explore une autre frontière, celle qui sépare
l'humain du non-humain. D'où cette impression d'« irréel » ou de « fantastique ». La proximité du vide, du néant, de ce monde d'où l'humain
est absent, interpelle davantage le voyageur que les divers stimuli sen-
soriels. Le pouvoir d'attraction des formes minérales est si fort qu'il
parvient à dissoudre les repères habituels, à débarrasser le regard des
filtres qui généralement le composent. C'est parce que l'immensité
désertique constitue une *altérité radicale* que la traversée du désert met
en jeu une expérience des limites. Impossible en effet de l'envisager
sous l'angle du reflet, du miroir, de la relation binaire entre soi et
l'autre : l'altérité se conçoit ici comme une tension de l'être vers un

---

26. Isabelle Daunais, « La fusion de la nature et de l'architecture chez Loti », dans *L'art
de la mesure ou l'invention de l'espace dans les récits d'Orient (XIXᵉ siècle)*, Paris/Montréal,
Presses universitaires de Vincennes/Presses de l'Université de Montréal, 1996, p. 132-133.

point où les limites de l'humain s'évanouissent. Comme le souligne Jean-Claude Berchet,

[ce voyage] représente bien, pour le sujet occidental, une expérience de la limite. *Le désert* introduit le lecteur dans un espace-temps démesuré (sans commune mesure avec rien), qui désigne un exotisme radical : qui excède toute identité, en même temps qu'il la circonscrit dans sa particularité dérisoire. Le désert constitue en effet une extériorité absolue, une différence totale, qui renvoie toute différenciation humaine à une existence seconde, accidentelle[27].

Si le désert nous renvoie au stade précédant l'apparition de l'être humain sur la terre, il excède toute mémoire et empêche toute saisie, toute lecture. C'est là que se situe l'aspect méditatif du voyage, et non dans les jeux de relecture que nous avons étudiés plus tôt. Nulle place ici pour une interprétation divine : la nature sauvage, les rochers aux formes étranges ne sont pas les traces des toutes premières bribes de la Genèse, les premières créations d'un monde en profonde mutation. Ils témoignent d'un monde précédant l'humain, précédant la vie, précédant les créations, y compris celles que l'on attribue à Dieu lui-même. Immuables, les formations géologiques telles que les rochers et les montagnes font du désert un îlot hors du temps, un endroit où la vie n'a pas germé[28].

On relève d'ailleurs un paradoxe à ce sujet : on sait que ce qui n'est pas vivant ne peut pas mourir et pourtant, Loti ne cesse d'apercevoir l'ombre de la mort planer sur les étendues désertiques. Un jugement en apparence paradoxal, mais qui s'explique par le fait que le voyageur ne peut s'empêcher de projeter ses propres limites temporelles, à savoir la mort, sur l'espace environnant. L'altérité radicale du désert rejoint ici une autre forme d'altérité radicale, qui peut être considérée quant à elle comme une altérité ultime. Si l'on a souvent souligné l'omniprésence de la mort dans l'œuvre de Loti[29], elle acquiert ici une signification différente, étant donné que la limite séparant la vie de la mort fusionne ici avec la limite séparant l'absence de vie de la vie, ce qui crée du même coup une sorte de *no man's land* temporel : « Ici, c'est la stérilité

27. Jean-Claude Berchet, *loc. cit.*, p. 315.

28. Un autre espace de l'immensité — la mer — peut d'ailleurs engendrer la même rêverie des origines ou de la fin du monde, comme le suggère Catherine Beaulieu : « Mer et désert renvoient également au non-temps, celui d'avant la création comme de la fin des temps » (« L'écriture de l'espace dans l'œuvre de Pierre Loti », dans Jean Bessière et Daniel-Henry Pageaux [dir.], *Formes et imaginaire du roman. Perspectives sur le roman antique, médiéval, classique, moderne et contemporain*, Paris, Honoré Champion, 1998, p. 111-112).

29. Voir par exemple le passage intitulé « Loti momie », dans le livre d'Alain Buisine, *Tombeau de Loti* (Paris, Aux amateurs de livres, 1988).

et la mort. Et on est comme grisé de silence et de non-vie, tandis que passe un air salubre, irrespiré, vierge comme avant les créations» (p. 36). L'humain est de trop dans cet espace hors du temps, non pas en raison des gestes qu'il fait, mais tout simplement parce qu'il est un être vivant, parce qu'il est condamné à mourir, alors que rien autour ne changera. Avant la vie, le désert; après la vie, la mort. C'est ainsi que se déploie la logique de l'altérité du désert dans ces pages, sous un angle temporel. C'est l'absence de vie qui fait du désert le révélateur de la vie elle-même.

À l'instar de ces marques opaques qui séparent les paragraphes et qui ne peuvent être déchiffrées par un lecteur non arabophone, l'Autre apparaît en creux, dans les failles, au-delà du regard, dans une zone marquée du sceau de l'illisibilité. C'est dans ce brouillage des repères que l'on peut suivre «Loti bédouin», qu'on peut le voir évoluer d'une étape à l'autre. Ce qui rend son parcours original, c'est qu'il conjugue la traversée d'une mémoire culturelle, où Moïse et le Christ occupent une place de choix, et l'exploration des frontières, ce qui occasionne non pas un trouble de l'identité, mais une confrontation avec l'insaisissable. Dans le désert sillonné par Loti, l'espace démesuré parvient difficilement à se rendre dicible, le temps lui-même s'égare et s'éparpille. L'espace désertique devient un lieu où l'on peut frôler les limites temporelles, ce qui nous fait reculer jusqu'au temps des origines — origines de la planète et non de l'homme — mais qui nous transporte également de l'autre côté des limites temporelles, au-delà de la vie, le désert apparaissant à plusieurs reprises comme le territoire de la mort. Dans ce triangle hors du temps, dans cette péninsule propice aux relectures, aux avancées dans la mémoire culturelle, se présentent aussi des frontières, où la lecture devient une aventure aux franges de l'illisible, où le voyage se nourrit de la tension qui nous déporte vers l'altérité, au risque de nous transporter dans les territoires de l'étrangeté.

Collaborateurs

Ce numéro a été préparé par Lise Gauvin et Andrea Oberhuber.

Carole ALLAMAND

Carole Allamand a étudié la littérature et la philosophie aux universités de Genève (Suisse) et de Cornell. Elle enseigne aujourd'hui la littérature française à Rutgers University. Auteure d'un livre sur Yourcenar (*M. Yourcenar. Une écriture en mal de mère*, Paris, Imago, 2004) ainsi que d'articles sur Duras, Gide et James Ellroy, elle travaille actuellement à un manuscrit sur le rapport de l'autobiographie et du roman.

Jean-Philipppe BEAULIEU

Professeur titulaire au Département d'études françaises de l'Université de Montréal, il s'intéresse depuis plusieurs années aux femmes écrivains de l'Ancien Régime. Parmi ses travaux récents, on compte l'édition du deuxième volume des *Advis* de Marie de Gournay (Rodopi, 2002), de même que deux ouvrages collectifs (à paraître), le premier consacré à Hélisenne de Crenne, en collaboration avec Diane Desrosiers-Bonin (Paris, Champion) et le second portant sur les femmes et la traduction sous l'Ancien Régime (Ottawa, Presses de l'Université d'Ottawa). Il a également effectué des recherches sur des figures auctoriales plus récentes : Colette, Marguerite Yourcenar (il a co-édité *Marguerite Yourcenar. Écriture de l'Autre*, Montréal, XYZ, 1997) et, surtout, Andrée Chedid, à qui il a consacré plusieurs études, dont une dans l'ouvrage collectif *Andrée Chedid. Chantiers de l'écrit* (1996).

Rachel BOUVET

Rachel Bouvet est professeure au Département d'études littéraires et au programme de doctorat en sémiologie de l'Université du Québec à Montréal. Spécialiste du fantastique, de l'exotisme et des théories de la lecture, elle a publié un essai intitulé *Étranges récits, étranges lectures. Essai sur l'effet fantastique* (Balzac/Le Griot, 1998) ainsi que plusieurs articles, dans des collectifs et dans des revues comme *Protée, Revue de littérature comparée, RS/SI, Études francophones*, etc. Elle dirige actuellement un groupe de recherche sur l'imaginaire du désert.

Mireille CALLE-GRUBER

Professeure de littérature française à l'Université Paris VIII-Vincennes, elle y co-dirige le Département d'études féminines avec Hélène Cixous. Ses recherches portent sur le roman contemporain (ouvrages sur Michel Butor, Claude Ollier, Claude Simon), sur les questions d'esthétique (littérature, peinture, cinéma) et sur les analytiques de la différence sexuelle. Parmi ses publications récentes, on compte : *Histoire de la littérature française du XXᵉ siècle ou Les repentirs de la littérature*, Honoré Champion, 2001 ; *Assia Djebar, la résistance de l'écriture. Regard d'un écrivain d'Algérie*, Maisonneuve & Larose, 2001 ; *Du café à l'éternité. Hélène Cixous à l'œuvre*, Galilée, 2002 ; et la direction du numéro d'*Études littéraires* «Algérie à plus d'une langue» (automne 2001). Également écrivaine, elle a publié *Arabesque*, Actes sud, 1985 ; *La division de l'intérieur*, L'Hexagone, 1996 ; *Midis. Scènes aux bords de l'oubli*, Éditions Trois, 2000. Depuis 1997, elle est membre de la Société Royale du Canada.

Doris G. EIBL

Maître de conférences au Département d'études romanes de l'Université d'Innsbruck (Autriche), elle y enseigne les littératures française et québécoise. En 1999, elle a soutenu une thèse de doctorat consacrée à l'œuvre romanesque de Suzanne Jacob. Elle a publié de nombreux articles notamment sur Suzanne Jacob, Nicole Brossard et Ying Chen ainsi qu'une traduction en allemand de *Elle serait la première phrase de mon prochain roman* de N. Brossard. Elle participe actuellement à la rédaction d'une histoire de la littérature canadienne en langue allemande et prépare une habilitation sur le surréalisme au féminin.

Lise GAUVIN

Professeure titulaire à l'Université de Montréal, elle a dirigé la revue *Études françaises* de 1994 à 2000 et le département du même nom de 1999 à 2003. Elle a publié des ouvrages consacrés à la littérature québécoise et aux littératures francophones, parmi lesquels *Écrivains contemporains du Québec* (avec Gaston Miron, Seghers/L'Hexagone/Typo, 1989 et 1998), *L'écrivain francophone à la croisée des langues* (Karthala, 1997, prix France-Québec), *Langagement. L'écrivain et la langue au Québec* (Boréal, 2000) et, en collaboration, *Littératures mineures en langue majeure, Québec / Wallonie-Bruxelles* (PIE-Peter Lang et PUM, 2003). Également essayiste et nouvelliste, elle a fait paraître récemment : *Chez Riopelle. Visites d'atelier* (L'Hexagone, 2002) et *Arrêts sur images*, nouvelles (L'Instant même, 2003). En 2004 : *La fabrique de la langue. De François Rabelais à Réjean Ducharme* (Seuil, « Points-Essais ») et en co-direction, *Le Dire de l'hospitalité*, Presses universitaires Blaise-Pascal.

Farah Aïcha GHARBI

Étudiante à la maîtrise au Département d'études françaises de l'Université de Montréal, elle prépare un mémoire sur les relations entre la peinture et l'écriture dans le recueil de nouvelles *Femmes d'Alger* de l'auteure algérienne Assia Djebar. Elle a publié un article intitulé « L'Iliade des pieds à la tête » dans *La Corne d'Abondance*, revue fondée par *La Société des Études Anciennes du Québec* de l'UQAM. Elle travaille actuellement à un premier roman dont quelques extraits lui ont valu, en France, le prix PLUME francophone international de littérature 2002-2003.

Christiane NDIAYE

Professeure agrégée à l'Université de Montréal, elle y enseigne les littératures francophones des Caraïbes, de l'Afrique et du Maghreb. Elle a publié un recueil d'essais sur les littératures francophones, *Danses de la parole*, ainsi que de multiples articles. Elle a mené un projet de recherche (subventionné par le CRSH) sur les « Parcours figuratifs du roman africain » et est actuellement co-chercheur dans un projet portant sur les « Rhétoriques de la réception des littératures francophones » et chercheur principal du projet « Mythes et stéréotypes dans la réception des littératures francophones ». De 1996 à 2000, elle a été vice-présidente, puis présidente du CIEF (Conseil international d'études francophones).

Andrea OBERHUBER

Professeure adjointe à l'Université de Montréal, elle y enseigne la littérature française, notamment l'écriture des femmes. Auteure d'un livre sur *Chanson(s) de femme(s) : Entwicklung und Typologie des weiblichen Chansons in Frankreich. 1968-1993* (Berlin, ESV, 1995) et co-directrice du collectif *Sprache und Mythos-Mythos der Sprache* (Bonn, Romanistischer Verlag, 1998), elle a publié de nombreux articles dans le domaine cantologique, mais également dans ceux de l'intermédialité et du transfert culturel. Elle a consacré des études à Louise Labé, Claire de Duras, Jaufré Rudel et Amin Maalouf, la comtesse de Castiglione et Claude Cahun. Dans le cadre d'une subvention du CRSH, elle prépare un livre sur Claude Cahun et l'avant-garde de l'entre-deux-guerres.

Résumés

Lise Gauvin
ÉCRIRE/RÉÉCRIRE LE/AU FÉMININ : NOTES SUR UNE PRATIQUE
S'appuyant sur le fait que le phénomène de la réécriture est un effet de lecture lié à la reconnaissance du modèle d'une part et, d'autre part, à la complicité créée par la double conscience — celle de l'auteur et du lecteur — de son détournement, l'article propose quelques pistes en vue d'une configuration possible de la réécriture au féminin. Les figures du palimpseste ainsi examinées s'articulent autour de trois axes principaux : le contre-discours ou la contre-diction, la co-scénarisation ou l'adaptation, le déplacement ou la reprise. Des exemples tirés des œuvres de diverses écrivaines, de Louky Bersianik à Nicole Brossard, de Pierrette Fleutiaux à Maryse Condé, Muriel Spark et Assia Djebar, sont convoqués pour illustrer les modalités de ces fictions « au second degré ». Ainsi envisagée sous l'angle de sa fonctionnalité et de sa visée pragmatique, la réécriture permet de déployer autrement la cartographie de l'écriture au féminin et d'en explorer les enjeux.

Based on the fact that the phenomenon of rewriting is an outcome of reading linked to acknowledgement of the model, on the one hand, and, on the other hand, to the complicity, or subversion, engendered by this dual consciousness of author and reader, this article proposes some directions towards a possible configuration of rewriting in the feminine. The figures of the palimpsest thus examined revolve around three principal axes: counter-discourse or counter-diction, co-writing or adaptation, displacement or resumption. Examples from various women's works, from Louky Bersianik to Nicole Brossard, from Pierrette Fleutiaux to Maryse Condé, and from Muriel Spark and Assia Djebar are analyzed to illustrate the modalities of "second degree" fictions. From the perspective of its functionality and pragmatic purpose, rewriting can deploy the cartography of feminine writing in a different way and therein explore the inherent issues.

Mireille Calle-Gruber
L'ESSAI COMME FORME DE RÉÉCRITURE : CIXOUS À MONTAIGNE
Où l'on considère, exemplaire dans les livres d'Hélène Cixous, la réécriture comme le processus génésique par excellence, et le lieu d'une exigeante réflexion théorique. Pas de genèse du texte littéraire sans une mise en œuvre de ses généalogies. Mais aussi l'affirmation d'une réécriture qui procède sans (se) couper le nez, c'est-à-dire en revendiquant sa singularité. Où l'on voit comment Hélène Cixous défaçonne la langue de Montaigne pour en tirer un alphabet cixousien. Comment elle pratique la réécriture plutôt en tiers qu'en double mimétique. Comment la forme de l'*essai* se trouve reprise dans la poétique cixousienne. Comment, enfin, c'est à la cuisine du texte que nous sommes conviés.

Hélène Cixous' books serve as sophisticated examples of rewriting, wherein an elaborated process challenging theoretical reflections is applied. No literary text emerges without revealing its genealogies. Yet the integrity of the rewriting staunchly affirms its own singularity. We observe how Hélène Cixous dismantles Montaigne's language and from it draws out a Cixousian alphabet; we see how she rewrites more in triple than double mimetic; how the form of the essay resumes in Cixous' poetics. And how we are ultimately invited to sample the cuisine that is the text.

Christiane Ndiaye
RÉCITS DES ORIGINES CHEZ QUELQUES ÉCRIVAINES DE LA FRANCOPHONIE

Se situant à la croisée du mythe, du conte, de l'histoire et du romanesque, plusieurs des écrivaines de la francophonie procèdent à une réécriture des récits d'origine pour inventer un nouvel imaginaire où la femme est à la source du renouveau social plutôt que de porter le poids du péché originel. Ainsi, chez Calixthe Beyala, la femme, ayant pour ancêtre l'étoile qui s'efforce en vain de sauver l'homme de l'autodestruction, se tient désormais à distance de ce « soleil » par trop ardent. De la même manière, les personnages féminins du roman de Simone Schwarz-Bart s'écartent du chemin de l'homme, pour ne pas être entraînés dans sa course folle sur la voie des malheurs sans fin. Constatant que la « guerre des sexes » s'est ainsi inscrite dans les récits les plus anciens comme dans le langage du quotidien, Assia Djebar remonte à l'époque des anciens empires des Berbères, des Phéniciens et des Romains en quête de la langue perdue du dialogue entre « ennemis ». De manière analogue, le roman de Marie-Célie Agnant interroge l'histoire (dans ce cas celle de l'esclavage) afin de déceler le point de rupture et pour renouer le dialogue avec un Autre qui inspire méfiance depuis « l'origine ». À travers ces diverses réécritures s'esquisse alors un imaginaire de la (re)naissance où la langue perdue du cœur émerge du langage non verbal du corps.

Poised at the intersection of myth, folktales, history and novels, several francophone women writers proceed to rewrite narratives on the origins of humanity or certain communities thereby inventing a new world of imagination where woman is the source of social renewal rather than original sin. Thus, in the novel of Calixthe Beyala, the woman, whose ancestor is the star that strives in vain to save man from self-destruction, prefers to remain aloof from a too intense "sun." Likewise, the women characters created by Simone Schwarz-Bart sidestep the path of man to avoid being pulled along on his endless route of misery. Observing that the "war of the sexes" inhabits the most ancient narratives as well as everyday discourse, Djebar's novel returns to the ancient empires of the Berbers, the Phoenicians and the Romans in search of the lost language of dialogue between "enemies." In a similar manner, Marie-Célie Agnant questions history (in this case that of slavery) to locate the point of rupture and to renew the dialogue with the Other who has inspired mistrust since the very beginning. These rewritings trace out an imaginary world of re(birth) where the lost language of the heart emerges from the nonverbal language of the body.

Farah Aïcha Gharbi
FEMMES D'ALGER DANS LEUR APPARTEMENT D'ASSIA DJEBAR : UNE
RENCONTRE ENTRE LA PEINTURE ET L'ÉCRITURE

Femmes d'Alger dans leur appartement d'Assia Djebar est un recueil de nouvelles qui entretient un rapport dialogique avec la peinture puisqu'il emprunte son titre aux tableaux de Delacroix et de Picasso et qu'il s'en inspire
pour élaborer un parcours narratif racontant l'histoire des femmes d'Alger.
C'est la rencontre entre la peinture et l'écriture, la nature, le fonctionnement
et les conséquences d'un tel échange qu'analyse cet article, et ce, plus
précisément à travers la première longue nouvelle du recueil, récit éponyme
composé en 1978 qui présente une réécriture au féminin des *Femmes d'Alger*
romantiques et cubistes de l'histoire de l'art. En lisant les tableaux et en
déchiffrant les codes picturaux qu'ils mettent en œuvre, Djebar se les ap-
proprie et les médiatise dans le cadre de sa nouvelle à même deux espaces
diégétiques, celui du rêve et celui de la mémoire, au sein desquels les
Femmes d'Alger prennent vie, parole et se dévoilent. Ce projet entraîne, de
ce fait, l'exercice et le déploiement de procédés d'écriture particuliers, à la
croisée du texte et de l'image.

Femmes d'Alger dans leur appartement *by Assia Djebar is a collection of
short stories which maintains a verbal rapport with art since it borrows its title
from paintings by Delacroix and Picasso, works that inspire an elaborate narrative recounting of the history of Algerian women. It is through the derived ac-
count written in 1978, which is a rewriting of the Romantic and Cubist* Femmes
d'Alger *in the history of art, from women's perspective, that this article offers an
analysis between art, writing, nature, and the function and results of such an
exchange. By reading these paintings and deciphering their visual secrets, Djebar
adapts and infuses them into the setting of her novel in two equal stages: the
dream stage and the memory stage, in the midst of which the women of Algiers
open up and come to life in words. This literary work brings about the practice
and display of certain processes, allowing text and images to intersect.*

Jean-Philippe Beaulieu
VOIX ET PRÉSENCE DE FEMMES : LA RELECTURE DE L'HISTOIRE
PAR ANDRÉE CHEDID

Dans plusieurs de ses récits, Andrée Chedid procède à une réécriture de
l'histoire de façon à donner voix et existence à ces figures le plus souvent
laissées dans les marges du discours historiographique que sont les femmes.
Une telle réécriture, qui cherche à combler les silences de la mémoire
collective, combine des données mythiques, factuelles et fictives de manière
à conférer un relief marqué à des profils féminins avérés (Nefertiti) ou
hypothétiques (la femme de Job).

*In several of her numerous novels and narratives, Andrée Chedid rewrites history so
as to give a prominent position to women, in order to compensate for the marginal
status traditionally attributed to them in historiographical discourse. Mingling
facts, myths, and fiction, the author fills the blanks of the collective memory per-*

taining to women's participation in world history. Under Chedid's pen, Nefertiti and Job's wife therefore become vivid characters whose presence and voice can be strongly felt.

Doris G. Eibl
L'ENTENDU ET L'AUTREMENT : ASPECTS DU MÉTISSAGE DANS *ROUGE, MÈRE ET FILS* DE SUZANNE JACOB

Questionnant la réécriture du métissage dans *Rouge, mère et fils*, cette lecture d'un récent roman de Suzanne Jacob se propose de retracer la part d'inquiétante étrangeté qui opère dans l'histoire d'une mère, d'un père et d'un fils ou, plus globalement, dans celle d'une communauté, toutes deux régies par des histoires muettes. En tissant une fiction où de nombreuses histoires individuelles se superposent et se nouent de façon tout à fait étonnante, Suzanne Jacob fait du métissage la trame même de son texte et révèle sans pardon l'impuissance existentielle de ceux qui refusent à la fois les histoires et l'Histoire qui les relieraient au passé et leur permettraient d'envisager l'avenir dans une reconnaissance mutuelle. C'est grâce au personnage du *Trickster*, figure mythologique fort ambiguë des légendes amérindiennes et dotée, dans *Rouge, mère et fils*, d'un certain pouvoir de guérisseur, que cette reconnaissance, qui est toujours celle du métissage, devient possible.

Questioning aspects of rewriting métissage in Rouge, mère et fils, *this reading of Suzanne Jacob's latest novel proposes to retrace the troubling strangeness (the uncanny) that operates in the story of a mother, a father and a son or, more generally, the story of a community, both governed by silent stories. Superimposing several individual stories and combining them in astonishing ways, Suzanne Jacob turns métissage into the storyline itself and relentlessly reveals the existential powerlessness of those who, at the same time, refuse to accept the stories and the history that would connect them with the past and allow them to face the future in mutual recognition. The character of the Trickster, a very ambivalent figure in Native American tales, who, in* Rouge, mère et fils *is given a certain healing power, makes this recognition possible, a recognition which also remains a recognition of métissage.*

Andrea Oberhuber
RÉÉCRIRE À L'ÈRE DU SOUPÇON INSIDIEUX : AMÉLIE NOTHOMB ET LE RÉCIT POSTMODERNE

L'article se veut une défense et illustration du phénomène de la réécriture au féminin comme stratégie discursive telle qu'elle se manifeste dans les pratiques palimpsestes à l'ère « postmoderne ». Il propose une réflexion sur le comment et le pourquoi des relectures qu'effectuent bon nombre d'auteures du xxᵉ siècle dans le dessein de réécrire un texte antérieur, d'écrire autrement cet hypotexte, de le « traduire » en un nouvel hypertexte. Car le choix d'un modèle générateur-« géniteur » influe sur la stratégie et l'objectif de sa réécriture. L'œuvre romanesque d'Amélie Nothomb — plus particulièrement les romans *Mercure* et *Métaphysique des tubes* —

sert d'exemple pour étudier la réécriture à la fois au féminin et selon le paradigme du récit postmoderne. L'analyse révèle que le recours aux mythes fondateurs, aux «grands» mais aussi aux «petits» récits est au cœur du réécrire au féminin; les auteures réécrivent, le plus souvent sur un ton ironique, en repensant la matière littéraire canonique.

This article is a defence and an illustration of the phenomenon of rewriting "in the feminine" as a discursive strategy that manifests itself in the palimpsestual practices of "postmodern" times. It is a reflection on the why and the how of the re-readings in which a large number of 20th century women writers have engaged in order to then re-write an earlier text, or to write this hypo-text differently, or to translate it into a new hyper-text. After all, the choice of "pro-generating" a text always influences the strategy and purpose of writing. The fiction of Amelie Nothomb, more specifically the novels Mercure *and* Métaphysique de tubes, *serve as examples of both rewriting in the feminine and of paradigmatic postmodern writing. My analysis shows that the recourse to foundational myths, to the "great" as well as the "lesser" stories of history, is at the heart of the project of rewriting in the feminine, with the authors most often adopting an ironic tone in the work that rethinks the literary canon.*

Exercices de lecture

Carole Allamand
LA VOIX DU PARADIS. LA QUÉBÉCITUDE DE JACK KEROUAC

Après avoir examiné la querelle qui suivit la revendication, par certains, de Jack Kerouac comme auteur *québécois*, notre article propose une relecture de deux de ses romans — *Sur la route* (1957) et *Visions de Gérard* (1958) — qui rattache au mysticisme catholique et au messianisme du «Québec d'en bas», aussi bien qu'à la perte précoce d'un frère, des faits textuels communément imputés à l'idéologie naissante de la «Beat Generation». C'est le *sens* du plus célèbre *road trip* des lettres du xxᵉ siècle que nous voudrions en effet revoir ici, afin de montrer que la trajectoire de l'écriture de *Sur la route* n'est pas tant le Sud-Ouest que le Nord-Est, c'est-à-dire le Petit Canada de l'enfance de Kerouac et surtout de Gérard, dont la voix française (Gérard ne parlait pas l'anglais!) semble avoir guidé Jack le long de sa route poétique.

*Starting from the much disputed "Quebecois identity" of Jack Kerouac, our article focuses on two of this author's novels—*On the Road *(1957) and* Visions of Gerard *(1958)—in order to reveal a dimension other than, and apparently contradictory to, that of the Beat Generation: the Catholic mysticism and messianism that once characterized the French-Canadian communities of New England. We would like to read the twentieth century's most famous literary road trip… backwards, to understand it from its point of departure. We argue that the Northeast, and the need to turn one's back on it, but also the impossibility of leaving it for good, are to be understood in the light of the "Petit-Canada" of Kerouac's childhood and that of Gerard, Kerouac's lost older brother whose French words (Gerard died before he could learn English) seem to have guided Jack along his poetic road.*

Rachel Bouvet

LAISSEZ-PASSER POUR *LE DÉSERT* DE LOTI : DE LA RELECTURE AUX FRONTIÈRES DE L'ALTÉRITÉ ET DE L'ILLISIBLE

Cet article se propose d'envisager le récit de voyage de Pierre Loti à travers le Sinaï intitulé *Le désert* dans la perspective de la lecture et de l'altérité. Trois étapes sont distinguées dans ce voyage, au cours desquelles la tension entre soi et l'autre se transforme considérablement. Loin de s'engager tout de suite sur la voie de l'altérité, le périple est tout d'abord ponctué par des références à l'univers judéo-chrétien. Voyager consiste dans un premier temps à *relire* la Bible, l'Exode en particulier, puis dans un deuxième temps, lors de l'escale au monastère Sainte-Catherine, à voir surgir des images du Christ. La troisième étape occasionne quant à elle une confrontation avec l'altérité. Territoire inaccessible, à la fois physiquement et intellectuellement, la terre musulmane de Pétra ne s'appréhende qu'à travers une gamme d'émotions qui vont de la fascination à l'angoisse «charmante», de la sensation d'oppression à la nostalgie. Le voyageur se heurte aux frontières de l'altérité, au seuil des écritures illisibles. L'examen du laissez-passer révèle en effet la présence d'un malentendu, qui a pour effet d'inscrire l'altérité au cœur même de la lecture du récit. L'espace traversé, le désert, constitue quant à lui une altérité radicale, au même titre que la mort. Si on peut le parcourir, admirer les formes surprenantes dont il se pare, méditer sur le temps des origines auquel renvoie cette écriture de la pierre, du minéral, le désert n'en suscite pas moins une expérience des limites pour l'humain qui, confronté à un espace sans vie, ne peut s'empêcher d'y lire les signes avant-coureurs de sa propre mort.

This article considers Pierre Loti's Sinai travel narrative, Le désert, in the light of theories of reading and alterity. Three stages mark an evolution in which the tension between the self and the other changes significantly. Far from being immediately engaged in a dynamics of alterity, the journey is first marked by Judeo-Christian references, the voyage beginning by a rereading of the Bible, especially Exodus. The journey is then marked by a stay at the Ste-Catherine monastery where emerge a number of Christ images. It is in the third stage, beside the Muslim territory of Petra, that a confrontation occurs with alterity. Perceived as an inaccessible territory, Petra is perceived through a full range of emotions ranging from fascination to 'angoisse charmante', from the feeling of oppression to nostalgia. The traveller collides with boundaries of alterity, at the threshold of unreadable writing. The study of the 'laissez-passer' reveals a misunderstanding that inscribes alterity inside the reading itself. As for the desert, this space crossed, it constitutes a radical alterity, like death. We can cross it, admire its amazing forms, even meditate on the origin and time of the stone writing, but at the same time we can't escape the foreshadowing signs of death when confronted with this lifeless space. The desert arouses a sense of human limits.

Directrice : Lucie Bourassa

études françaises

Fondée en 1965, *Études françaises* est une revue de critique et de théorie. Elle s'intéresse aux littératures de langue française, aux rapports entre les arts et les sciences humaines, les discours et l'écriture. Chaque numéro contient un ensemble thématique ainsi que diverses études. Elle s'adresse particulièrement aux spécialistes des littératures française et québécoise, mais aussi à toute personne qu'intéresse la littérature.

Déjà parus ☐ Situations du poème en prose au Québec • 12 $ ☐ Zola, explorateur des marges • 12 $ ☐ Les imaginaires de la voix • 12 $ ☐ Le simple, le multiple : la disposition du recueil à la Renaissance • 12 $ ☐ Derrida lecteur • 23,50 $ ☐ Écriture et judéité au Québec • 12 $ ☐ La littérature africaine et ses discours critiques • 12 $ ☐ La construction de l'éternité • 12 $ ☐ Presse et littérature : la circulation des idées dans l'espace public • 12 $ ☐ Internet et littérature : nouveaux espaces d'écriture ? • 12 $ ☐ Le sens (du) commun : histoire, théorie et lecture de la topique • 12 $ ☐ Gaston Miron : un poète dans la cité • 23,50 $ ☐ Index 1965-2000 • 12 $ ☐ Robinson, la robinsonnade et le monde des choses • 12 $ ☐ L'automatisme en mouvement • 23,50 $ ☐ Guerres, textes, mémoire • 12 $ ☐ *Bonheur d'occasion* et *Le Survenant* : rencontre de deux mondes • 12 $ ☐ L'ordinaire de la poésie • 12 $ ☐ Les écrivains-critiques : des agents doubles ? • 12 $ ☐ Québec, une autre fin de siècle • 13,50 $

Bon de commande

☐ Veuillez m'abonner à *Études françaises* pour l'année _____.

☐ Veuillez m'expédier les titres cochés

☐ Paiement ci-joint _____ $
Plus 7 % TPS (non applicable à l'extérieur du Canada)

☐ Chèque ☐ Visa ☐ Mastercard

Date d'expiration_____

_____
Signature

_____
Nom

_____
Adresse

_____
Code postal

Revue paraissant trois fois l'an
(printemps, automne, hiver)
Abonnement annuel 2004
Volume 40
Individus

Canada	28 $ CAN
Étudiants (avec photocopie de la carte)	20 $ CAN
Étranger	34 $ US

Institutions

Canada	60 $ CAN
Étranger	60 $ US

Service d'abonnements :

Fides – Service des abonnements
165, rue Deslauriers
Saint-Laurent, Qc H4N 2S4
Tél. : (514) 745-4290 • Téléc. : (514) 745-4299
Courriel : andres@fides.qc.ca

Pour toute autre information :

Les Presses de l'Université de Montréal
C.P. 6128, succ. Centre-ville
Montréal, Qc H3C 3J7
Tél. : (514) 343-6933 • Téléc. : (514) 343-2232
Courriel : pum@umontreal.ca
www.pum.umontreal.ca

Pour la vente au numéro :

voyez votre libraire.

Dépositaire Europe :

Librairie du Québec
30, rue Gay-Lussac
75005 Paris, France
Tél. : 1.43.54.49.02 • Téléc. : 1.43.54.39.15